VRUCHTBARE DAGEN

Barbara van Erp

Vruchtbare dagen

De dagelijkse praktijk
in een ivf-kliniek

Uitgeverij Balans

Omslagontwerp Anton Feddema
Foto auteur Jan Rothuizen
Foto omslag © Ilya van Marie/Hollandse Hoogte
Boekverzorging Adriaan de Jonge
Druk Giethoorn, Meppel

Uitgeverij Balans stelt alles in het werk om op milieuvrien-
delijke en duurzame wijze met natuurlijke bronnen om te
gaan. Bij de productie van dit boek is gebruikgemaakt van
papier dat het keurmerk van de Forest Stewardship Coun-
cil (FSC) mag dragen. Bij dit papier is het zeker dat de productie niet tot bosvernietiging heeft geleid.

ISBN 978 90 501 8842 5
NUR 860

www.uitgeverijbalans.nl
www.vn.nl

Inhoud

Vooraf 7

1 Steven en Mirjam op het spreekuur 11
2 Wat is vruchtbaarheid? 16
3 Het spreekuur van Rob Bots 27
4 Het geluk van Steven en Mirjam 35
5 De verpleegkundigen 42
6 De hormoonbehandeling 49
7 Kris en Wendy krijgen hun intakegesprek 51
8 De methode-Bots 56
9 Kris en Wendy bereiden zich voor op ivf 68
10 De oudere moeder 74
11 Het veertigplusspreekuur 78
12 De echo van Kris en Wendy 87
13 Mario en Jolanda willen een tweede kind 92
14 De uroloog 101
15 Het einde van het spreekuur 104
16 Steven en Mirjams slechtnieuwsgesprek 108
17 Het laboratorium 115
18 Mario en Jolanda gaan beginnen 126
19 De cryo's 131
20 Eicel- en embryodonatie 137
21 Het evaluatiegesprek van Kris en Wendy 145
22 De punctie van Mario en Jolanda 149

23 De icsi van Mario en Jolanda 156
24 De risico's 159
25 De terugplaatsing van Mario en Jolanda 162
26 De uitslag van Kris en Wendy 169
27 Mirjam en Steven in hun nieuwe huis 173
28 Technieken in de toekomst 177

Vruchtbaarheidsklinieken in Nederland 183
Verklarende woordenlijst 195
Literatuur 201
Dankwoord 203
Register 204

Vooraf

Vruchtbaarheidsbehandelingen komen steeds vaker voor. In 1995 werden er in Nederland tienduizend ivf- of icsi-behandelingen uitgevoerd. In 2005 waren dat er vijftienduizend. Wie daar iui bij optelt komt zo aan dertigduizend vruchtbaarheidsbehandelingen per jaar. Dat aantal groeit nog steeds.

Ook het vertrouwen in die behandelingen is de afgelopen jaren flink toegenomen. We kunnen allemaal in de krant lezen over vrouwen van ver in de veertig die nog een kind krijgen; in Italië loopt zelfs een arts rond die vrouwen van boven de zestig zwanger kan krijgen. Als kinderen krijgen op natuurlijke wijze niet lukt, denken we, is er altijd nog de dokter.

De werkelijkheid is dat in de dertig jaar dat ivf bestaat, de techniek nauwelijks veranderd is. De behandeling is lichter geworden, de kansen op een zwangerschap zijn iets verhoogd, en er zijn nieuwe behandelingen voor heel specifieke groepen. Maar de grenzen van waar de medische wetenschap wel en niet bij kan, zijn nog even scherp. Nog steeds loopt de helft van de stellen die een vruchtbaarheidsbehandeling ondergaan de deur uit zonder kind. Vaak zonder te weten waarom het bij hen niet gelukt is.

In dit boek onderzoek ik hoe patiënten omgaan met al

die onzekerheden. En hoe artsen reageren op die hoge verwachtingen. Een jaar lang volgde ik drie stellen die werden behandeld door Rob Bots en zijn team van het St. Elisabeth Ziekenhuis. De verhalen van Steven en Mirjam, Kris en Wendy en Mario en Jolanda zijn tamelijk universeel. Gewone mensen, die niet extreem oud zijn, of extreem ver gaan in de behandeling. Een doorsnee van de tienduizenden mensen die jaarlijks de Nederlandse fertiliteitcentra binnenlopen. Maar deze zes mensen waren zo moedig om mij met hen mee te laten lopen, me bij hen thuis te ontvangen en hun verhaal met me te delen.

Ik had natuurlijk ook een academisch ziekenhuis kunnen kiezen, dicht bij het vuur van nieuwe vindingen, maar ik wilde een gynaecoloog volgen die tussen zijn patiënten staat. Een kliniek waar hard gewerkt wordt, waar de mensen in- en uitlopen, waar het echte werk gebeurt. Want daar, in die middenmoot, wordt er geleden en worden de successen geboekt.

Rob Bots is een man van de praktijk, niet een wetenschapper die veel gepubliceerd heeft. Toen hij anderhalf jaar geleden de deur van zijn spreekkamer voor me openzwaaide en ik een reportage maakte voor *Vrij Nederland*, wist ik dat ik nog vaak naar hem terug zou keren. Aan de vooravond van zijn pensioen kan hij met dit boek zijn kennis overdragen aan iedereen die wil begrijpen wat vruchtbaarheid precies is en wat de artsen wél en vooral níet kunnen.

Tijdens de vele uren die ik het afgelopen jaar doorbracht in zijn spreekkamer, zag ik hoe hij en zijn artsen de stellen die geconfronteerd worden met verminderde vruchtbaarheid zeer serieus nemen. Ze zijn zich bewust van de schok die deze mensen ervaren als ze horen dat kinderen krijgen alleen met hulp van de dokter kan. En ze realiseren zich heel goed wat het betekent als deze stellen niet goed geholpen worden. Dat deze mensen kinderloos door het leven zullen gaan als zij niet hier en nu de juiste beslissingen voor hen nemen.

Ingewikkeld voor de artsen zijn de vrouwen die verminderd vruchtbaar zijn omdat ze boven de veertig zijn. Over die groep wordt in toenemende mate in overheidsrapporten en andere media geschreven alsof het luxeprinsesjes zijn die op hun veertigste klaar zijn voor een nieuwe *experience*. In de spreekkamer van Rob Bots worden ze behandeld als vrouwen met groot verdriet, vrouwen die geholpen moeten worden. Namens al die vrouwen wil ik hem en zijn team daarvoor bedanken.

Amsterdam, mei 2007.

I

Steven en Mirjam op het spreekuur

Het is kwart voor negen als Rob Bots (63) de overlegvergadering van de fertiliteitskliniek Tilburg uitloopt. De gynaecoloog en hoofd van de afdeling fertiliteit snelt door de gangen van het St. Elisabeth Ziekenhuis in Tilburg, op weg naar zijn patiëntenspreekuur. In de wachtkamer zitten de stellen al te wachten. Bots trekt zijn witte jas aan, zwaait de deur van zijn spreekkamer open en gebaart dat het eerste paar binnen mag komen.

Mirjam (41) en Steven (37) zijn hier voor het eerst. Mirjam begint te vertellen. 'We hebben nu twee jaar een relatie. Al snel wilden we een kind. We zijn het een half jaar geleden gaan proberen, maar er gebeurde niks. Dat is niet zo raar natuurlijk op mijn leeftijd, maar we hebben niet zo veel tijd, dus ging ik naar de huisarts. Die stuurde ons meteen door naar u.'

Bots knikt en zegt: 'Ik ga eerst mijn vragenbatterij op jullie afvuren, daarna gaan we praten. Anders blijft het zo hypothetisch. Wanneer ben je met de pil gestopt?'

'In juli.'

'Nooit zwanger geweest?'

'Nee.'

'Hoe lang is uw cyclus?'

'Euh, zevenentwintig dagen.'

'Bent u verder gezond? Ooit buikontstekingen gehad?

Geslachtsziekten? Zo'n ouderwets koperspiraaltje? Gynaecologische operaties? Medicijnen? Allergie? Onvruchtbaarheid in de familie?'

'Nee.'

'Rookt u?'

'Nee.'

'Heel goed. Drinken?'

'Ja, daar ben ik heel eerlijk in. Twee wijntjes per dag.'

'Dan heb ik een héél ongezellige mededeling voor u: dat is niet goed voor uw vruchtbaarheid, zelfs een kleine hoeveelheid per week niet.'

'Dan stop ik.'

'Heel goed. Hoe oud was uw moeder toen ze in de overgang raakte?'

'Oei, jeetje. Vijftig?'

'Vraag het haar, het zegt iets over je eivoorraad. Zo moeder zo dochter.'

En dan naar de man. 'Ben je gezond? Ooit een ontsteking in je testikels gehad? Indalingsproblemen? Problemen met klaarkomen? Wat is je beroep? In de bankwereld? Zittend dus. Dat is jammer.' De man kijkt vragend naar zijn vriendin, maar Bots vraagt door. 'Vruchtbaarheidsproblemen in de familie? Andere ziektes? Nee?'

De vragenlijst is klaar. Nu krijgen ze een lichamelijk onderzoek. Dokter Bots zet de man in de hoek en vraagt hem zijn spijkerbroek te laten zakken. ('Altijd éérst de man onderzoeken,' zal hij later zeggen. 'De vrouw denkt altijd dat het aan haar ligt.') Hij trekt aan het ondergoed en besluit: 'Die zit te strak. De klepel moet beter kunnen hangen. Rijd je veel auto?'

'Ja,' zegt de man met zijn armen gespreid. 'Drie uur per dag.'

'Dan zit je dus ruim twintigduizend kilometer per jaar op je balletjes.'

Steven laat zijn boxershort zakken, Bots meet de omvang van zijn scrotum. 'Ruim formaat,' zegt Bots tevreden. 'Blaas eens op je hand?'

Nu de vrouw. Ze gaat met haar blote billen op de behandeltafel liggen. Bots wacht tot ze goed ligt en gaat dan met de eendebek naar binnen. 'Een vrij normale baarmoedermond,' zegt hij. De man ziet plotseling lijkbleek en zegt: 'Ik moet hier even weg.'

Bots laat de vrouw liggen en begeleidt de man naar zijn bureau. Hij gooit twee zakjes suiker in een kop lauwe koffie, laat hem met zijn hoofd tussen zijn benen zitten en gaat weer naar de vrouw. 'Adem inhouden!' zegt hij tegen de vrouw en begint met de echo. Hij gaat langs de baarmoeder, eierstokken, blaas. Resultaat: een kleine vleesboom in de baarmoeder en afwijkingen in de rechter eierstok. 'Gaat het weer?' roept Bots naar de man. 'Je moet wel fit zijn voor de uitleg zo.' De vrouw kleedt zich aan terwijl Bots alle gegevens in de computer zet. Hij begint te schrijven in een schema waarop hij de vruchtbaarheidskansen van het paar in kaart brengt. Zwijgend wachten ze op het oordeel.

'Een klein myoompje in de baarmoeder,' vat Bots de situatie van Steven en Mirjam samen. 'Niet erg. De rechter ovarium is te groot. Het is niet kwaadaardig, maar ik denk dat-ie niet zo goed functioneert.'

Dan richt hij het woord tot Mirjam. 'Als een vrouw een kind wil en er donkere wolkjes bij komen kijken, is er sprake van veel verdriet. Daarom nemen wij zo'n wens zéér serieus. Maar we houden jullie niet aan het

lijntje.' Hij legt ze het principe uit van de slinkende eivoorraad van de vrouw. 'Een vrouw wordt geboren met
één miljoen eicellen. Rond haar tweeënvijftigste zijn die
op. Tot haar tweeëndertigste is haar voorraad nog optimaal en het genetisch materiaal goed. Daarna wordt de
kwaliteit van het materiaal minder en neemt de hoeveelheid af.'

Hij laat een schema zien waarin hij de vruchtbaarheidskansen van Steven en Mirjam heeft ingevuld. 'Een
vrouw van tweeëndertig heeft twintig à dertig procent
kans per maand om zwanger te raken. Als je boven de
veertig bent is dat twee tot vijf procent, óók als wij je
helpen. Het facet "leeftijd" moet ik dus helaas zetten op
"zeer slecht". En dat is nou net het enige waar ik niets
aan kan doen.'

Mirjam luistert ingespannen als Bots zijn verhaal vervolgt. 'Er zijn een paar dingen die we wel kunnen verbeteren. We kunnen die eierstok onderzoeken. En we kunnen kijken of het sperma goed is. Ik denk: géén tien,
maar een zeven of acht. Waarom denk ik dat? Omdat de
balzak vijfendertig graden moet zijn. Jij zit veel, in de
auto en op je werk. Dan gaat de temperatuur daar omhoog. Dat kan dus verbeteren.'

Hij schuift het A4'tje met het schema naar de andere
kant van de tafel en besluit: 'We gaan meteen met jullie
aan de slag. Als alles perfect blijkt, kunnen jullie zelf aan
de slag. Als het te lang duurt kunnen we een keer ivf
doen, wanneer je maar wilt. Ik wil rust in de tent hebben.'

Binnen een half uur staan ze weer op straat, met een
patiëntenkaart vol afspraken.

Over de kansen van Steven en Mirjam durft Bots niets

te zeggen. 'Ik wil ze niet meteen aan ivf laten denken. Zelfvertrouwen geven, dat is nu het beste.'

Twee dagen later lijkt Mirjam nog een beetje geschrokken. Ze loopt door de gang bij het laboratorium om het zaad van Steven af te leveren. Ze kwam voor een oriënterend gesprek, maar nu zit ze er middenin.

Steven heeft die ochtend zaad geproduceerd. Mirjam zou het naar het lab brengen. Dat was een behoorlijke onderneming. Ze wonen in het centrum van Den Bosch. Het zaad moet binnen een uur in Tilburg zijn en dat is inclusief autosleutels zoeken, naar de auto lopen, bij het ziekenhuis parkeren, parkeerkaartje trekken en door de lange gangen naar het lab lopen. Al die tijd moest Mirjam het zaad op lichaamstemperatuur zien te houden – best een uitdaging als het buiten vriest. Steven kon het zelf niet brengen. Hij moet elke ochtend om acht uur op kantoor zijn.

Over vijf weken heeft Mirjam een afspraak voor de kijkoperatie. Een eenvoudige ingreep, zeiden de verpleegkundigen bij de balie. Met Steven heeft ze besloten eraan voorafgaand een weekje naar Egypte te gaan, om 'bij te tanken'. Want, vertelt ze, na de operatie wordt het druk op haar werk. Dan komen de beurzen eraan. Nu moet ze ook weer hollen. Ze wordt verwacht bij een klant. 'Ik zit in de mode,' roept ze nog na. 'Ik ben veel onderweg.'

2

Wat is vruchtbaarheid?

Het fertiliteitscentrum van het St. Elisabeth Ziekenhuis is een van de dertien ziekenhuisafdelingen in Nederland met een ivf-laboratorium, een plek waar stellen naartoe kunnen als zwanger worden niet lukt. Ze worden doorverwezen door huisarts of gynaecoloog. Velen hebben dan al een of twee jaar achter de rug met vrijen op commando, dagelijks temperaturen en elke maand de teleurstelling van wéér een menstruatie. Als deze stellen binnenkomen met hun verhaal hopen ze op een duidelijke oplossing. Maar die hebben dokter Bots en zijn team vaak niet.

Sinds ivf bijna dertig geleden werd uitgevonden, zijn er weinig vruchtbaarheidstechnieken bij gekomen. Ivf was aanvankelijk bedoeld om met verstopte eileiders toch zwanger te kunnen raken – iets waar veel vrouwen in de jaren zeventig last van hadden als gevolg van geslachtziektes van de jaren zestig. Nu melden stellen zich met de meest uiteenlopende vruchtbaarheidsstoornissen. Een kwart is verminderd vruchtbaar door verouderde eierstokken, maar nog steeds is er maar één antwoord op: ivf en technieken die daar sterk op lijken. Het komt erop neer dat de artsen van het fertiliteitscentrum alleen de 'transportfunctie' van het zaad en de eicellen over kunnen nemen. 'Taxi Tilburg,' vat Rob Bots die technieken samen.

Om dat over te dragen, moet hij eerst een korte biologieles geven.

Hij spreidt zijn armen en legt met een smak de rug van zijn linkerhand op zijn bureau. 'Dit is het genetisch materiaal van de man,' zegt hij en maakt een doffe knal met de rug van zijn rechterhand. 'En dit van de vrouw.'

De afstand tussen zijn handen geeft de weg aan die het zaad van de man moet afleggen van de zaadlozing tot aan de eicel van de vrouw.

Een vrouw, legt hij uit, maakt het de man op die weg heel moeilijk.

'De éérste beperking is dat ze maar twaalf keer per jaar zwanger kan worden,' zegt Bots. 'En tussen haar genetisch materiaal en de zaadcel heeft ze allemaal hindernissen aangelegd.'

Een vrouw verstopt haar genetisch materiaal helemaal achter in haar buik, voorbij de baarmoeder, ergens tussen de eileider en de eicrstok. Daar moet de zaadcel de eicel weten te vinden.

De reis die het zaadje moet afleggen is lang. Die begint bij de schede, waar de zuurgraad de eerste hindernis is. Dan moet het zaad door het slijm dat uit de baarmoedermond komt, dan zwemmen door de opening van de baarmoedermond, zwemmen door de baarmoeder en zwemmen door de eileider. Daar moet het wachten op de eisprong en dan pas kan de eindsprint beginnen.

Ook de eicel heeft al een aardige geschiedenis achter de rug als het de eisprong heeft gehad en door de eileider hobbelt. Een vrouw draagt haar eivoorraad haar hele leven in de eierstok met zich mee. Ze wordt geboren met een voorraad eicellen van een miljoen. Vanaf de geboorte verliest ze er elke maand een kleine duizend. Oók als ze de pil slikt. Rond de puberteit heeft ze er ongeveer driehonderdduizend. Slechts een van de duizend eicellen die ze per maand verliest, wordt gered. Dat is het uitverkoren eitje.

Rondom deze eicel zit een eiblaasje, dat zich vol zuigt met vocht. Halverwege de cyclus is het zo groot als een druif, de eicel zelf blijft microscopisch klein. Het blaasje zwelt zo op dat het uit de eileider dreigt te barsten. Op dag veertien van de cyclus springt het eiblaasje open en spoelt de eicel met het vocht mee de eileider in: dat is de eisprong.

De eileider staat dan klaar om de eicel op te vangen, waar deze bevrucht moet worden door een van de zaadcellen. Het lichaam maakt nu progesteron aan, waardoor het baarmoedermondslijm meteen ontoegankelijk wordt voor zaadcellen. Als er op het moment van de eisprong in de eileider dus geen ongeduldige zaadcellen klaarliggen, is het te laat. Zelfs een paar uur na de eisprong vrijen levert niets op: het slijm is van een gastvrije haven veranderd in vijandig gebied.

Na de eisprong wordt de eicel door de eileider voorzichtig richting de baarmoeder geloodst, haar bestemming tegemoet. De ongeduldige zaadjes proberen zich bij haar naar binnen te wringen, met tientallen tegelijk. Het winnende zaadje duwt met zijn kop tegen de buitenkant van de eicel aan en wringt zich als eerste bij de eicel naar binnen. De kop van het kikkervisje laat het genetisch materiaal los, het zwemmende kikkervisje blijft levenloos buiten achter.

Bots slaat zijn handen tegen elkaar. Pats! 'Tot daar kunnen we helpen,' zegt hij.

Vervolgens kan het genetisch materiaal van de man

zich gaan mengen met het genetisch materiaal van de vrouw. Het proces dat daarna volgt, noemt Bots een raadselachtig miniuniversum waar we nog maar weinig van afweten.

Sinds de geboorte van het eerste ivf-kind in 1978, Louise Brown, is de techniek verfijnd en verbeterd, maar de invloed van de medici op de rest van het proces – bevruchten, celdelen, innestelen – is volgens Bots 'heel bescheiden'. 'Je kan naar nog zo veel congressen in exotische oorden gaan, het blijft neerkomen op: ze bij elkaar brengen en dan maar bidden.'

Dat genetisch materiaal bij elkaar brengen, daar is een waaier van technieken voor. Met de zachtste ingreep worden alleen de eerste paar hindernissen van het vrouwelijk lichaam omzeild. Dat is iui (intra uteriene inseminatie). Veel stellen bij wie niet duidelijk is wat ze mankeert, beginnen hun behandeling met drie tot zes iui-pogingen. Aan alle kanten krijgt de natuur hierbij een duwtje. De vrouw krijgt hormonen om de rijping van de eicellen en eiblaasjes te stimuleren en om het optimale tijdstip te bepalen voor de kunstmatige inseminatie. Het zaad wordt opgewerkt in het lab, om de beste zwemmers eruit te halen en de zaadvloeistof eruit te halen. Die zaadvloeistof zorgt ervoor dat de zaadcellen hun zwemtempo afremmen zodra ze in de eileider zijn; daar moeten ze immmers soms dagen wachten op de eicel. Bij iui hoeven ze niet lang te wachten, want de inseminatie gebeurt vlak voor het moment dat de eicel naar buiten spoelt.

Een paar uur voor de eisprong wordt het bewerkte zaad van de man met een dun slangetje diep het lichaam van de vrouw ingebracht, via de baarmoedermond in de baarmoeder. De slang loodst het zaad zo langs het baarmoedermondslijm, door de baarmoedermond heen, de baarmoeder in. Daar is het weer volledig op zichzelf aangewezen. Het moet zelf de eicel weten te vinden, die ergens bij het uiteinde van de eileider zwerft en zich ten slotte bij de eicel naar binnen wurmen om zijn genetisch materiaal af te staan. Dan kan het wonderlijke proces van de bevruchting beginnen.

Iui wordt gebruikt bij moeilijk doorgankelijk baarmoedermondslijm, bij donorzaad of bij zaad dat niet zo goed zwemt.

De kans op een doorgaande zwangerschap bij iui is het laagst van alle technieken: tien tot achttien procent, afhankelijk van de leeftijd van de vrouw.

Met ivf (in vitro fertilisatie) worden er nóg meer stappen overgeslagen. Het zaad komt het lichaam niet eens in.

Eerst wordt er met hormonen die de vrouw dagelijks inspuit voor gezorgd dat er niet één maar meerdere rijpe eiblaasjes zijn. Met een echo wordt vanaf een paar dagen voor de eisprong gekeken hoe de eiblaasjes zich ontwikkelen. Als ze zo groot zijn als een druif, worden ze een voor een leeggezogen door de fertiliteitsarts. Dat is de punctie. Bij deze poliklinische behandeling gaat een naald dwars door de vaginawand heen de eierstok in. Dat moet vlak voor de eisprong, anders zijn de blaasjes al geknapt en is het te laat.

Bij de punctie gaat de naald één voor één de eiblaasjes in en zuigt alle vloeistof eruit. De arts kijkt op een echo en ziet zo de eiblaasjes en de naald. De vloeistof wordt opgevangen in een buisje. De ivf-analist legt de vloeistof onder de microscoop en vist de eicellen eruit. Zo zuigen ze er in één punctie gemiddeld negen eicellen uit.

In het laboratorium worden die eicellen in een glazen petrischaaltje (vitro betekent glas) met duizenden zaadcellen gelegd. De zaadcel hoeft dan niet in een buikholte te zoeken naar het eitje. Het ligt dan behaaglijk in kweekmedium, een roze vloeistof, de eicel een paar centimeter ernaast. Eigenlijk hoeft het alleen de hindernis van het buitenste schilletje nog te nemen. Dat gebeurt in het donker, in een stoof of incubator, waar de laborant het schaaltje in zet. Het is er even warm als in het lichaam van een vrouw. In deze kunstmatige, behaaglijke omgeving begint de race tussen de zaadcellen. Zelfs als de zaadcellen niet zulke beste zwemmers zijn, lukt het er eentje zo wel om op eigen kracht door die schil te komen.

Als het eerste zaadje de eicel bereikt heeft, sluit de eicel zich onmiddellijk. De rol van het kikkervisje, dat alleen een vervoersfunctie heeft, het genetisch materiaal zit in z'n kop, is dan voorbij. De schil van de eicel wordt zo hard dat er geen andere zaadcellen meer doorheen kunnen. Dat bevruchten is in een paar uur gebeurd.

Als het zaad er echter nog slechter aan toe is, wordt met icsi (intra cytoplasmatische sperma injectie) ook nog die laatste hindernis genomen. Met icsi is de grens van wat de wetenschap nu kan, bereikt.

Icsi volgt de hele ivf-procedure. Als de eicellen verkregen zijn, wordt een enkele zaadcel met een naald direct in de eicel geïnjecteerd. Dan gaan ook deze embryo's in wording met schaaltje en al de stoof in.

Zodra de deur van de stoof gesloten is, is het proces weer op de natuur aangewezen. Dan moet de bevruchting plaatsvinden.

Pas de volgende dag komt de ivf-analist weer kijken, want op dag twee is duidelijk of er een bevruchting heeft plaatsgevonden. Als dat gelukt is, als de eerste celdelingen zichtbaar zijn, wordt er nog een dag gekeken hoe een embryo zich in dit beginstadium ontwikkelt. Eens per dag haalt de ivf-analist het schaaltje uit de stoof en legt het onder de microscoop.

Zeventig procent van de eicellen raakt zo, met ivf of icsi, bevrucht.

Op dag drie hoort een embryo vier cellen te hebben en is het rijp voor een terugplaatsing. De mooiste embryo wordt met een slangetje teruggebracht in de baarmoeder, de plek waar de innesteling kan beginnen.

Als dát allemaal gelukt is, als de taak van de gynaecoloog en de ivf-analist erop zit, dan begint een heel nieuw avontuur. Dan moet het embryo in de baarmoeder zien te overleven, een van de spannendste momenten van een beginnende zwangerschap.

Pas drie dagen na de terugplaatsing begint de innesteling. Dertig tot veertig procent van de embryo's overleeft die reis tot aan de innesteling, de rest verdwijnt weer geruisloos.

Ook de embryo's die wel zijn ingenesteld lopen nog groot gevaar. Hiervan eindigt nog eens dertig procent in een miskraam, eigenlijk een minimiskraam van een zwangerschap die nog te pril was om op te merken. De bloeding ziet eruit als een gewone menstruatie.

Slechts dertig procent van de embryo's resulteert dus in een doorgaande zwangerschap. Dat is in de natuur zo en dat is bij ivf zo. Maar álléén als de moeder niet ouder is dan begin dertig, want daarna neemt de kwaliteit van haar genetisch materiaal af. De embryo's zijn dan ook vaker van slechte kwaliteit. Na een paar dagen, weken of zelfs maanden celdelen zitten er zo veel foutjes in, dat het lichaam van de moeder zo'n embryo afstoot.

Dat is een echte miskraam.

Bij vruchtbaarheidsbehandelingen wordt pas gesproken van een doorgaande zwangerschap als een embryo de eerste drie maanden heeft overleefd. Dat hele proces is de natuurlijke selectie: embryo's die niet sterk genoeg zijn of eigenlijk: niet de juiste chromosomen hebben, overleven niet. Dáár kan Rob Bots niets aan veranderen. Hij en zijn team kunnen alleen door die microscoop turen en kijken welke embryo de minste onregelmatigheden vertoont. Die wordt teruggeplaatst.

Maar of dat ook de beste was?

In die eerste dagen, zegt Bots, gebeurt er ontzettend veel waar de wetenschap nog maar heel weinig vanaf weet. De bevruchting alleen al is een wonder dat zich buiten zijn bereik voltrekt. Dan begint het celdelen, twee, vier, zes, acht, tot die cellen zo groot worden dat ze uit het schilletje barsten. Een piepklein klompje cellen gaat dan aan de slag en taken verdelen. Tot dan konden de cellen nog alle kanten op, nu gaan ze zich specialiseren. De een wordt placenta, de ander het vlies. Een ander de huid, een oog, een nagel of de hersenen. Een proces dat het lichaam nog steeds volledig op eigen kracht moet doen.

'Vruchtbaarheid,' zal Rob Bots nog vaak zeggen, 'is als een dobbelsteen.' Maar dan een dobbelsteen, vult hij aan, met vijftien kanten, in plaats van zes.

Op het schema waar hij tijdens een intake de kansen van een paar in kaart brengt staan staafdiagrammetjes. 'Duur subf' staat op de eerste: hoe lang probeert een stel al zwanger te raken? De 'ovariële reserve': hoe oud is een vrouw en hoe oud was haar moeder toen ze in de overgang raakte? Hoeveel keer per jaar is ze ongesteld? Is ze weleens zwanger geweest? Was er een innesteling? Miskraam? Heeft ze al vruchtbaarheidsbehandelingen gehad? Hoe is de conditie van haar eierstokken? Buikholte? Eileiders? Baarmoeder? Is het baarmoedermondslijm taai? Vrijen ze regelmatig en zonder problemen? Is het zaad van de man actief genoeg? En is de temperatuur in de balzak laag genoeg?

Al die facetten krijgen een kwaliteitsbeoordeling, áls ze bekend zijn. Dat levert vijftien staafdiagrammetjes op. Dat schema, het vruchtbaarheidsvenster, brengt de zwakke plekken van een stel in kaart. Van sommige zwakke plekken kunnen ze de kansen flink verbeteren, maar van andere ook niet.

Er zijn een paar aandoeningen waarvoor iui, ivf en icsi een duidelijke functie hebben. Zaad dat niet zo goed zwemt of taai baarmoedermondslijm kan omzeild worden met iui. Bij verstopte eileiders kan de arts de eicellen met een naald gaan halen (ivf). Zaad dat helemaal niet wil zwemmen wordt gewoon de eicel in geprikt (icsi). Heel soms is er een hormoonstoornis (pco), die met hormooninjecties verholpen kan worden (ovulatie-inductie).

Patiënten die met deze aandoeningen bij Rob Bots binnenlopen en nog jong zijn, kunnen meestal uitstekend geholpen worden. Maar vaak is er een samenloop van factoren of weten Bots en zijn team niet precies wat iemand mankeert. En dan is een behandeling moeilijk. Vaak begint een arts dan met de lichtste behandeling, een paar keer insemineren (iui) en kijken of dat aanslaat. Soms gaan ze met iui een stap verder en zorgen ze met hormonen die ook voor ivf worden gebruikt voor een heel precieze timing van de eisprong. Als dat niet lukt, gaan artsen over op ivf. Oók als ze niet zeker weten of daar een rationele aanleiding voor is.

Nu het aantal stellen dat met vruchtbaarheidsproblemen rondloopt toeneemt, worden daar steeds meer kritische kanttekeningen bij geplaatst. Ivf is een zware behandeling waaraan risico's zitten. In de jaren tachtig was men bang dat de hormonen eierstokkanker zouden veroorzaken. Uit een epidemiologische studie van een paar jaar terug blijkt dat dit niet het geval is. Na twintig jaar was er geen effect. Van de echt lange termijn weet men dat nog niet zeker.

Wel kan een vrouw van de hormonen een ovarieel hyperstimulatie syndroom (ohss) krijgen: een aandoening waarbij er vochtlekkage is van de eierstokken in de buikholte, met buikpijn, misselijkheid, braken als gevolg. Als dat niet goed behandeld wordt, kan het gevaarlijk zijn. De arts probeert dat te voorkomen door voorzichtige hoeveelheden hormonen (fsh) voor te schrijven of de behandeling te staken.

Ook is er het risico op meerlingen, vooral tweelingen komen veel voor bij ivf. Dat wordt tegenwoordig voorkomen door nooit meer dan twee embryo's terug te plaatsen, maar het liefst één.

Elk jaar worden er in Nederland ruim vijftienduizend icsi- of ivf-behandelingen gedaan. De cijfers van stellen die met vruchtbaarheidsproblemen de wachtkamer van huisarts of gynaecoloog binnenlopen, zitten daar niet bij in. Laat staan de mensen die er in stilte mee worstelen. Als die worden meegeteld, komen we op een schrikbarend hoog aantal Nederlandse paren dat met vruchtbaarheidsproblemen te maken krijgt: een op de zes.

De stellen komen vaak het ziekenhuis binnen met hoge verwachtingen. Zeker als het gaat om vrouwen die verminderd vruchtbaar zijn vanwege hun leeftijd. Vaak denken ze dat ivf hun kansen verhoogt.

Natuurlijk, verzucht Bots, zijn er succesverhalen. Vrouwen die na dertien ivf-pogingen in het buitenland toch zwanger raken. Ook is er een vrouw die op haar drieënzestigste zwanger raakte met hulp van een gedoneerde eicel en een Italiaanse arts. Maar heel vaak kunnen Bots en zijn team niets doen. In de kwarteeuw dat Bots dit werk doet heeft hij zijn vakgebied daardoor drastisch zien veranderen. Van techniek is de nadruk steeds meer gaan liggen op coaching: mensen moed inspreken of ze helpen te accepteren dat het niet zal lukken, afhankelijk van de fase van het proces waar ze in zitten.

Ondertussen probeert hij alle kansen van zo'n stel, hoe minimaal soms ook, te verhogen met medicijnen, kijkoperaties, losser ondergoed, stressverlagende opmerkingen of het verwijderen van een spatadertje in de balzak. En met snel handelen, want het zijn tijdrovende processen en de biologische klok van de vrouw tikt door.

3

Het spreekuur van Rob Bots

Aan het begin van deze woensdagochtend neemt Rob Bots het dossier van het tweede stel van vandaag door.

Zij is eenendertig. Er is een brief van het Amphia Ziekenhuis in Breda. De vrouw heeft zes keer iui gehad en twee miskramen. 'Ik denk dat ze komen voor een second opinion,' zegt Bots. 'Ik ga ze een intake geven. Ze vinden het prettig om weer eens helemaal vers bekeken te worden.'

Entree.

Een man en een vrouw komen binnen. Hij een beetje dikkig, een kaal hoofd en wat ouder dan zij. De vrouw ziet er héél gespannen uit.

Bots legt uit. 'Ik ga even de knop op reset zetten. Ik wil het hele verhaal opnieuw laten beginnen en ik kijk jullie beiden even na.'

De vrouw loopt rood aan en zegt: 'Hoezo, nakijken? Wat gaat u doen?'

'Een echo.'

De vrouw verkrampt: 'Maar ik zit in de eerste dag van mijn ongesteldheid.'

'Dat is niet erg, dan kan ik het juist goed zien. Wees niet bang, ik ga je geen pijn doen. Je hebt al genoeg ellende gehad.'

De vrouw begint zachtjes te huilen. Met de muis van haar hand veegt ze haar vochtige wangen rood.

Ze vertelt, dwars door het protocol van Bots heen: 'Vorige week hebben we in het Amphia Ziekenhuis een gesprek over ivf gehad, maar de wachtlijst in Breda was vol. Zes maanden duurt het daar. Dat vinden we te lang, we zijn al zo lang bezig. Ze zeiden: probeer het eens in Tilburg.'

Ze zijn in het ziekenhuis van Oosterhout met iui begonnen, dat was na haar eerste miskraam. Nu neemt de man het gesprek over: 'Na die mislukte iui willen we nu ivf.'

'Daar komen we zo op,' zegt Bots. 'We gaan eerst de vragenlijst af. Hoe lang kennen jullie elkaar?'

Elf jaar, zegt de vrouw. In 2000 is ze gestopt met de pil. Ze heeft twee miskramen gehad. De laatste was in april 2003, drie jaar geleden, somt ze op, de eerste in juli 2002.

Hij: 'Dat weet jij beter dan ik.'

Bots: 'Was die zwangerschap spontaan?'

Ja, knikt de vrouw: 'De tweede ook.'

Bots: 'Zeer frustrerend hè?'

De cyclus is regelmatig, stelt Bots vast. 'En jullie vrijen een à twee keer in de week? Of is dat lastig geworden?'

De vrouw knikt. De man kijkt haar gespannen aan. 'Alcohol?'

'Drinken heeft ze nooit gedaan,' zegt de man achterovergeleund. Hun stoelen staan een stuk uit elkaar.

Dan richt Bots zijn pijlen op de man. 'Is je zaad oké?'

Hij, beetje triomfantelijk: 'Ja, ik heb al een zoon hè?'

Bots: 'O, die zoon is uit een andere combi?'

Ja, knikt de man en hij lijkt zich te willen ontspannen, alsof zijn aandeel in deze problematiek hiermee van tafel is. Maar Bots is hem voor. 'Draag je strak ondergoed? Fout. En slaap je er ook nog mee? Nog erger. Beroep?

ICT'er? Nog fouter! Een zittend beroep. Zestigduizend kilometer per jaar? Fout! Hete baden? Eens per week?! Fout! Fout! Fout!'

De man lacht een beetje, kijkt naar zijn vrouw, die nog steeds haar hoofd laat hangen. Ze verdwijnen de behandelkamer in, eerst de man in de hoek, dan de vrouw op de behandeltafel. 'Wat opvalt is dat er veel blaasjes zitten,' zegt Bots. 'Daar zit alweer een eitje klaar van de volgende cyclus. Ze zijn erg *eager*.'

Als het paar weer aangekleed tegenover Bots zit, bereidt hij de samenvatting voor. De eerste resultaten mompelt hij voor zich uit. 'Een paar. Secundaire subfertiliteit. Laatste miskraam april 2003. Vrouw eenendertig jaar. Man zesendertig. ERNSTIGE externe temperatuurdisregulatie van het scrotum.'

Het stel zit klaar en Bots vouwt zijn handen. 'Goed. Als een vrouw zwanger probeert te worden en het lukt niet dan zit daar een zee van verdriet achter, dat weten wij. Vooral als je al zo lang bezig bent als jullie.'

Hij legt het verhaal uit van de weg die de zaadcellen moeten afleggen naar de eicellen, door het lichaam van de vrouw. Hij wijst op een tekening van de schede, de baarmoeder, de eileiders. De vrouw knikt. 'Daar moet het allemaal doorheen,' fluistert ze als een ijverige leerling.

'Dus die man,' vervolgt Bots, en hij prikt met zijn pen richting haar echtgenoot, 'moet goed zijn best doen.'

Dan somt hij het goede nieuws op: 'Je bent eenendertig, je eivoorraad is nu dus nog goed. Je hebt iedere maand een eitje, je bent zwanger geweest, dus bij innesteling zet ik "perfect", je eileiders zijn perfect. Baarmoeder: perfect.'

De vrouw lijkt nu een beetje op te leven.

'Hoe komen de zaadjes door het slijm? Dat weet ik niet,' vervolgt Bots. 'Zijn jullie meneer slecht sperma en mevrouw slecht slijm? Ik begin een vermoeden te krijgen... Maar we gaan eerst verder. Vrijen is niet fijn meer. De vrouw heeft er problemen mee. Ze vindt het verdrietig. Het zaad zou goed zijn. Daar twijfel ik aan. Het moet vijfendertig graden zijn in de balzak, dat is zo bij apen, mensen, leeuwen en tijgers, anders zou het belachelijk zijn dat ze buiten boord hangen. Maar die man van jou duwt de hele boel tegen zich aan. Vanaf nu gaat hij dus in zijn blote kont slapen. Dat vind je raar klinken, maar waarom zeg ik dat? Ik kan verder weinig verbeteren, want alles is in orde.'

'De iui is zes keer mislukt,' zegt de vrouw.

'Maar je bent ook twee keer zwanger geweest,' zegt Bots. 'Dat vind ik gek. Ik wil dus weten hoe het in je buik zit. En ik wil héél eerlijk gezegd weten hoe het met het zaad zit. We gaan de koeling verbeteren.'

De vrouw trekt wit weg. Bots lijkt meteen te weten waar ze aan denkt.

'Het is een dagbehandeling, véél minder pijnlijk dan de röntgen die je vorig jaar had.'

Ze zucht. 'Dat was wel traumatisch ja.'

'Dit doet geen pijn,' verzekert Bots. 'We hebben genoeg ellende gehad.'

Hij slaat het dossier dicht en zegt: 'Jullie mógen ivf, iui – het maakt mij niet uit. Maar je hebt bewezen dat je zwanger kan zijn. We hebben géén wachtlijst, dus je kan het ook even aankijken. Ik wil dat jullie rust hebben. Denk erover na. Ik zie jullie deze maand toch nog een paar keer. Ik hoor het wel.'

Hij, snelle zucht: 'Heldere uitleg.'

Nu hebben ze elkaars handen vast.

De vrouw zucht wéér. Bots: 'De natuur beslist. We moeten ons schikken.'

'Het is niet anders,' zegt de vrouw. Ze knikt en staat op. Maar bij het weggaan lijkt ze zich te bedenken: 'Kan ik nu bij de verpleegkundigen een afspraak maken voor ivf?'

'Ja,' zegt Bots, 'dat kan ik nú voor jullie regelen.'

Ze kijkt haar man aan en ze vertrekken.

'Ze moest het even zeker weten,' zegt Bots als ze weg zijn.

Voor de volgende patiënt binnenkomt, loopt hij naar de behandelruimte, trekt aan de rol van het verkreukelde papier van de behandeltafel, strijkt de boel glad.

'Ik denk echt dat er iets is met het sperma,' zegt hij ondertussen. 'Je weet het niet. En als zij straks opeens zwanger raakt, weet je het nog niet.'

Als hij terug is bij zijn bureau en zoekt naar het volgende dossier, zegt hij: 'Soms vrijen ze al maanden nét verkeerd. De vrouw luistert niet meer naar haar lijf, ze heeft geen zin meer in vrijen voor ze ovuleert, haar zenuwen nemen het over. Dat is een drama.'

Dan loopt er een stel binnen waarvan Bots alleen vertelt dat de vrouw recentelijk een iui-behandeling heeft gehad.

'Hoe gaat het met je?' vraagt hij.

'Goed,' lacht ze. 'Heel goed. Kan niet beter! In een keer raak, dus we mogen niet klagen.'

Ze staan op en lopen naar de behandelkamer voor een echo. Haar man gaat mee en houdt haar hand vast.

Bots wijst aan: 'Armpje, hoofdje, pootje, pootje.'

'Wat een wonder,' zegt de man.

Ze zijn nog jong. Het was hun eerste iui-behandeling. Meteen waren er drie eicellen bevrucht, dus er zijn er twee weggeprikt om een drieling te voorkomen. Als ze weer aan tafel zitten vraagt Bots: 'Hoe lang zijn jullie bezig geweest?' Ze zien er nog jong uit.

'Negen jaar,' zegt de man tot Bots grote verrassing. 'We zijn bezig vanaf mijn negentiende.'

De rest van de ochtend wordt gevuld met een stoet van dramatische verhalen die elk niet langer dan een half uurtje in beslag mogen nemen.

Een Turks stel waarvan de man slecht zaad heeft kan aan een icsi-behandeling beginnen. Een vrouw raakte na veel moeite op natuurlijke wijze zwanger, maar kreeg een miskraam. Bots kan niet veel meer voor ze doen dan 'een kaarsje branden'. Hij staat ze allemaal onder hoge tijdsdruk te woord, maar zonder ooit ongeduldig te worden. In duizelingwekkend tempo werkt hij door.

Dan loopt er een forse, rondborstige vrouw binnen. Een flamboyant type met een stille, serieuze man. Het is een ingewikkeld verhaal, had Bots hoofdschuddend gezegd voor hij ze binnenliet. De vrouw is te zwaar, waardoor ze bijna geen cyclus meer heeft, slechts twee eisprongen per jaar. Vrouwen die dik zijn, hebben daar vaak last van. Het is een hormonaal verschijnsel, pco. Dikke vrouwen maken in hun vetlagen extra oestrogeen aan, waardoor het lichaam 'denkt' dat er al een eisprong is. Maar precies weten de artsen het niet en ze kunnen het ook niet altijd verhelpen.

Voor deze patiënten zit er maar één ding op: afvallen.

Maar er is ook iets met de man. Ze zijn al jaren bezig, maar nu heeft de man ook sinds kort een spatader in de bal, waardoor de kwaliteit van zijn sperma minder is. 'Het is nu én-én geworden,' zegt de vrouw.

'Er zijn nogal wat middeltjes nodig om het bij jullie weer aan de praat te krijgen,' verzucht Bots. 'Allereerst is er de uroloog, die voor deze operatie geen Bovaggarantie kan geven. Hij weet niet of je problemen opgelost zullen zijn na deze operatie. Verder is de vruchtbare periode van je vrouw gi-gan-tisch kostbaar. Hoe oud ben je?'

'Vierendertig inmiddels,' zegt de vrouw. 'We zijn al acht jaar bezig, we hebben zelfs adoptie overwogen, maar we willen het toch nog een keer proberen.'

'Jahaa,' knikt Bots bezorgd. 'Leeftijd gaat nu ook een rol spelen. Ik zou zeggen: alles op alles zetten nu.'

De man moet naar de uroloog en de vrouw moet afvallen. Maar dat laatste zegt Bots nog niet.

De vrouw is twee keer spontaan zwanger geweest door de hormonen die ze kreeg, maar dat liep uit op een miskraam. 'Ik ben twee keer per jaar ongesteld,' zegt ze. 'Zullen we hormonen doen en iui?'

'Ik zeg: hormonen en ivf,' vindt Bots. 'Als we alleen hormonen doen en je maakt veel eitjes aan, moeten we er een paar wegprikken en dat vind ik zonde van de tijd. Nadeel van ivf is dat het maar drie kansen zijn. Als het niet lukt, zit je na drie keer weer hier. Maar van de hormonen krijg je ook weer maandelijks een eisprong. We moeten dus ondertussen ook de spontane manier blijven proberen, want je bent door de medicatie wel een keer zwanger geworden. We moeten heel egoïstisch zijn en alle dobbelstenen gooien. Je weet nooit met welke je zwanger raakt. Het is een beetje uitproberen.'

'En mijn gewicht?' vraagt de vrouw nu pas. 'Ik weeg nu honderdentwaalf kilo. Door alle gedoe ben ik flink aangekomen. Maar nu ben ik weer aan het afvallen.'

Bots: 'Heel goed. Dat zou heel goed zijn. Ja, ik vind je prachtig zo, maar hoe meer je afvalt, hoe meer kans op een ovulatie. Laten we die drie dingen doen: medicijnen slikken en spatader verwijderen om de spontane kans te optimaliseren en ivf en iui in het achterhoofd houden. En dan maar hopen en bidden en een kaarsje branden.'

Zij: 'Oké.'

Hij: 'Ik ben blij dat u verder denkt.'

4

Het geluk van Steven en Mirjam

'Ik zit in de mode,' zegt Mirjam.

Ze zakt weg in de bank in haar woonkamer, hartje centrum Den Bosch. Er heerst serene rust. Zware gordijnen hangen aan de muren van de vijf meter hoge ruimte. In de vide is een slaapverdieping gebouwd. Het is een lentedag. De schuifdeuren naar het stadstuintje staan open. Om de glazen tafel staan rotan stoelen met weelderige kussens. Er is gedekt met dikke servetten, bolle wijnglazen en drie lagen wedgwoodservies. Steven haalt eten bij de afhaalchinees. Mirjam gebruikt die tijd om over haar werk te vertellen. 'Collecties maken, inkopen, verkopen. In het middensegment.'

Is ze ontwerpster? 'Nee, we kopiëren alles en laten dat produceren in het Verre Oosten.'

Ze reist veel voor haar werk, naar China, India, Italië en Portugal. En dan zijn er nog twee keer per jaar de beurzen in Nieuwegein, Milaan en Parijs. Elke maand is ze wel een week weg. 'Je zit in de mode en daar kom je niet meer uit. Het is je leven.'

Als Mirjam terugkijkt op het eerste bezoek aan Rob Bots, toen Steven bijna flauwviel, realiseert ze zich dat ze al veel achter de rug heeft. Stevens zaad was volgens het lab in orde. Mirjam moest de vijf dagen voor haar eisprong elke dag naar het ziekenhuis om een monster van haar baarmoedermondslijm af te laten nemen. Het weekje Egypte voorafgaand aan de operatie in februari was héérlijk, maar daarna werd het zwaar.

De kijkoperatie die Mirjam moest ondergaan, was aanvankelijk bedoeld om een cyste te verwijderen en om de rechter eierstok te bekijken, die veel te groot was. Maar toen de artsen eenmaal in die buik aan het rondkijken waren, zagen ze nog twee cystes op het ovarium. Ze waren bang dat een van de cystes zich kwaadaardig zou ontwikkelen, dus hebben ze ze weggehaald. In plaats van de poliklinische ingreep, waar Mirjam op gerekend had, moest ze vijf dagen in het ziekenhuis blijven. De artsen hadden gezegd dat ze moest uitrusten.

Nu, maanden later, zit ze in haar appartement met haar voet in het verband. Die verstuikte enkel was de zoveelste tegenvaller van het afgelopen half jaar. 'Het was echt een lijdensweg,' zegt ze. 'Ik heb weleens gedacht dat ik nooit meer de oude zou worden.'

Het verleden van Mirjam zou zo passen in alle bezorgde rapporten die de laatste jaren verschijnen over 'uitstel van moederschap', zoals dat dan heet.

Ze trouwde al jong met een jeugdliefde. Hij wilde kinderen, zij ook wel, maar ze wilde ook blijven werken. Dat vond die man maar niks. 'Ik zat toen al in de modewereld. Daar wilde ik verder in.'

Uiteindelijk sloten ze een deal: Mirjam zou parttime gaan werken. Ze stopte met de pil. Na een korte zakenreis naar Hongkong kwam ze thuis en toen vertelde haar man dat hij wilde scheiden. Ze was zevenentwintig.

'Dat was een hele schok voor mij,' vertelt Mirjam. 'Ik

was heel beschermd opgevoed. Had nog niks meegemaakt.'

Toch, denkt ze, was het goed zo. 'Ik heb een keer in dat huis in bed gelegen en gedacht: ik krijg hier geen kinderen. Dat voelde ik gewoon.'

Ze verhuisde naar Den Bosch, naar het huis waar ze nu nog woont, en ging in Brussel werken. Ze kreeg een relatie van een paar jaar met 'een foute horecaman'.

Bij de man die ze na hem leerde kennen, zou ze acht jaar blijven, maar hij was een stuk ouder en had al een dochter uit een eerder huwelijk. Hij wilde geen kinderen meer. Dat de relatie zonder kinderen zou blijven, daar kon ze zich wel bij neerleggen. Maar dat de man ook na acht jaar niet met haar wilde samenwonen, kon ze niet accepteren. Ze hield ermee op.

De gedachte dat ze kinderloos zou blijven, spookte niet vaak door haar hoofd, zegt ze. Het voelde nooit definitief. 'Ik was pas achtendertig toen ik bij hem wegging.'

Twee jaar was ze alleen. Dat was heel zwaar. 'Ik dacht: zouden er nog mannen zijn die denken zoals ik? Die wel een echte relatie willen?' Toen leerde ze Steven kennen.

Steven komt binnen met het eten. Hij schraapt de plastic bakjes leeg in de crèmekeurige schalen op tafel en begint op te scheppen.

Hij werkt bij een financiële instelling. Daar doet hij in hypotheken hoger dan een miljoen euro en de ingewikkelde leningen: de acceptatieafdeling. Iedere morgen om zes uur staat hij op, om half acht is hij op kantoor en om zes uur weer thuis, om te eten – zijn avondprogramma moet dan nog beginnen.

Hij somt op: op maandag zaalvoetbal, dinsdag tennis,

woensdag is voor Mirjam, donderdag weer tennis, vrijdag meestal niks, zaterdagochtend voetballen en zondag is een echte rustdag – als er niet gegolft wordt. Eten doen ze meestal hier, in het huis van Mirjam. Hij komt eigenlijk alleen nog maar thuis om zijn sportkleren op te halen.

Tweeënhalf jaar kennen ze elkaar. Ze hadden al een heel leven achter de rug toen ze elkaar in café 't Bosschenaartje voor het eerst in de ogen keken.

Het was zo'n avond waarop ze beiden een beetje onwillig achter vrienden aan liepen. Mirjam was net terug van een weekje Curaçao. Ze was al twee jaar vrijgezel en voor het eerst in haar eentje op vakantie geweest. 'Ik dacht: ik kan blijven zeuren, maar dan gebeurt er ook niks.'

Ze waagde het erop. De zon was lekker geweest, maar het was ook een opluchting om weer thuis te zijn. Met jetlag en al ging ze stappen, met een vriendin en haar vriend, de vertrouwde kroegen van Den Bosch langs. Ze had zich voorgenomen het niet te laat te maken.

Steven was na een doelloze avond alweer op weg naar huis toen hij met een vriend langs café 't Bosschenaartje liep. Nog ééntje dan. Hij had een relatie van tien jaar achter de rug en was sinds twee jaar vrijgezel. De vriend met wie hij was had eerder die avond gezegd: ik zag Kees lopen, hij had twee blonde vrouwen bij zich. Kees kenden de vrienden van het zaalvoetbal.

Daar stond hij, met de blonde vrouwen.

Steven liep binnen en Mirjam vroeg meteen aan Kees: 'Wie is dat? Wat een leuke jongen. Bestaan die nog?'

Onder de harde klanken van Abba werden Steven en Mirjam aan elkaar voorgesteld.

'Als een magneet was het,' zegt Mirjam boven haar tomatensoep.

'Heel relaxed,' vindt Steven.

De jetlag van Mirjam was meteen verdwenen. Tot twee uur 's nachts hebben ze met elkaar staan praten.

'Ik vond het eng!' zegt Mirjam. 'Zo veel als we elkaar te vertellen hadden.'

Ze gingen een paar keer uit eten. En toch was er geen aantrekkingskracht, vond Mirjam. 'We zeiden tegen elkaar: dit is leuk. Maar verder dan dit gaan we niet.'

'Ik dacht: oké, goede vrienden,' zegt Steven. 'Ook leuk.'

Hij stortte zich weer op zijn drukke programma en liet niets meer van zich horen. Na verloop van tijd stuurde Mirjam toch maar weer een sms'je. Steven kwam eten en toen was het raak. Meteen was het heel serieus, ondanks andere voornemens. 'We zeiden: we doen het rustig aan,' vertelt Mirjam. 'Niet meteen altijd bij elkaar zijn.' Maar elke avond zaten ze te bellen en dan zei Mirjam na een uur: waarom kom je niet hierheen? Binnen een maand woonde Steven zo'n beetje bij Mirjam. Voor ze het wisten, waren ze samen een huis aan het zoeken. Eerst in de stad, maar dat was te duur.

Tijdens een ritje in de omgeving zagen ze opeens een lapje grond te koop, in een dorpje waar ze nooit eerder waren geweest. Het lag aan een dijkje en had uitzicht over een golfbaan. Ze wisten meteen dat ze het zouden kopen.

Daar, in de auto, hadden ze voor het eerst een gesprek over kinderen.

Mirjam vroeg Steven: 'Wil jij kinderen? Want ik ben oud.'

'Ik moest het weten,' zegt Mirjam. 'Anders durfde ik niet verder.'

'Ik wilde heel graag kinderen,' zegt Steven.

Dus Steven zei, daar in auto aan het dijkje: 'Ik wil dat heel graag, maar ik kies in eerste instantie voor jou.'

'Dat was precies wat ik wilde horen,' zegt ze.

Binnen een week tekenden ze het koopcontract voor het stukje grond. Ze moesten al snel samen veel beslissingen nemen over het huis. Dat was een gok, maar het ging goed. 'We horen gewoon bij elkaar,' zegt Mirjam nu.

'Ja,' zegt Steven.

'Ik was nooit tot over mijn oren verliefd,' zegt Mirjam. 'Maar er was rust.'

Er valt een stilte. Mirjam neemt een slok van haar cola light en kijkt Steven aan.

'Straks wonen we in ons nieuwe huis,' verzucht ze.

Voor haar op tafel ligt de map met de bouwtekeningen. Over een half jaar is het huis klaar, misschien kunnen ze er zelfs de Kerst vieren.

Steven ruimt af en Mirjam laat zich in een diepe bank zakken, met haar voet omhoog. Het effect van het doorspoelen van haar eileiders voor de kijkoperatie is nog actief. Elke maand heeft ze twee à vijf procent kans om zwanger te raken, zei Rob Bots. Dankzij het doorspoelen iets meer. Dat werkt nog een paar maanden. Zolang dat zo is, proberen ze het op de natuurlijke manier.

Mirjam drinkt geen wijntjes meer en gebruikt op haar vruchtbare dagen een natriumcarbonaatspoeling die ze met een vaginale douche inbrengt: hiermee verbetert de zuurgraad en wordt het slijm toegankelijker voor de zaadjes. Ze weet uit haar hoofd op welke dagen ze dat moet doen. En wanneer ze moeten vrijen. 'Ik hou er altijd rekening mee,' zegt ze.

Steven trekt een vies gezicht en zegt: 'Ik wil het nooit precies weten.'

Over een paar weken, als Mirjam helemaal hersteld is van de operatie, hebben ze een vervolgafspraak met dokter Bots. Dan zal worden besloten hoe ze verder gaan. Ze hoopt dan meteen een afspraak te kunnen maken voor de eerste ivf. Maar ergens in haar achterhoofd spookt de gedachte dat het niet zo simpel is.

5

De verpleegkundigen

In de kantine loopt Rob Bots met zijn dienblad op Corry en Ragon af. Corry en Ragon zijn fertiliteitsverpleegkundigen. Ze zitten achter hun champignonsoep met een van de fertiliteitsartsen, Esther, een vrouw van rond de dertig. Corry heeft een zware ochtend gehad. Ze had een intake met een Marokkaans stel. De man sprak Nederlands, de vrouw niet. 'Vrouw niet slim,' zei de man. Corry zei: 'Nou, dan máák je haar maar slim.' Vanaf nu moest hij werken, zei hij, dus hij kon na dit gesprek niet meer meekomen. De punctie, de terugplaatsing van de embryo's, moet de vrouw helemaal alleen doen. 'Ik zeg: stuur je dan een tolk mee? Nee dus.' Corry houdt dreigend haar soeplepel omhoog. 'Dit is gedoemd te mislukken. Zíj moet straks bellen voor de uitslag, ze moet alleen komen, want hij kan geen vrij nemen. En ik weet: als zij niet zwanger raakt zet hij haar aan de dijk, ook al ligt het aan zijn sperma.'

Voor het gezelschap hoofdschuddend de champignonsoep op kan eten, vuurt Esther vragen af op Bots. Ze heeft straks een afspraak met een vrouw die zwanger is geraakt van een escape-ivf: een iui-poging waarbij er zo veel eiblaasjes zijn aangemaakt door het medicijngebruik dat de kans op een meerling heel groot is. Dan moeten ze meerdere embryo's 'wegprikken' en dat proberen artsen zo veel mogelijk te voorkomen. De iui wordt in dat geval op het laatste moment omgezet in een ivf, waarbij dus toch nog een punctie wordt verricht. Er zijn zo veel eicellen dat het zonde zou zijn die cyclus voorbij te laten gaan, ook al is er geen logische of dwingende reden voor ivf.

De patiënt van Esther is via deze omweg zwanger geraakt. Ze kreeg een kind en nu wil ze er nog een. Eerst probeerde ze het op de natuurlijke manier. Ze raakte spontaan zwanger, maar kreeg een miskraam.

'Nu is ze terug bij ons,' zegt Esther. 'Wat zullen we doen?'

'Weer ivf zeg ik,' roept Bots zonder aarzelen. 'Never change a winning team.'

De lunch wordt abrupt afgebroken. Het is bijna één uur, het telefonisch spreekuur op het secretariaat begint. Terwijl ze de etensresten van haar dienblad in een vuilnisbak veegt, vertelt Corry over een echo van vanmorgen. De vrouw was na zeven behandelingen eindelijk zwanger. 'Dat is altijd heel aandoenlijk,' zegt ze. 'Dan zitten we met z'n allen mee te sniffen.' Ze werkte vroeger op de kraamafdeling, het mooiste werk dat er is, zegt ze. Als het rustig is op de fertiliteitsafdeling loopt ze nog weleens binnen om met een vrouw mee te puffen. 'Daarna ben je dóódop,' lacht ze. 'Maar zó voldaan.'

Corry werkt al vijfentwintig jaar op de fertiliteitsafdeling. Aan de muur van het secretariaat hangen planborden met kaartjes erin. Rood is ivf, groen is icsi. In één oogopslag kan ze zien hoeveel behandelingen er in een maand zullen zijn. Veertig zijn er al voor deze maand gestart en die is nog maar anderhalve week oud.

Als katholiek ziekenhuis had het St. Elisabeth tot tien jaar geleden heel strenge eisen. Het paar moest getrouwd zijn en problemen met verstopte eileiders hebben om in aanmerking te komen voor ivf. Dat is een paar jaar terug in hoog tempo aangepast. Nu worden ook lesbische stellen en vrouwen met heel vage klachten behandeld.

In 1994, toen de eerste icsi-behandelingen begonnen, stróómde het vol. Er kwam een hele hausse aan laatstekansstellen bij wie het aan de man lag en waarvan de artsen tot dan toe dachten dat er niets aan te doen was.

Het spreekuur begint. Corry en Ragon zetten hun koptelefoons op. Ragon vertelt dat het ziekenhuis dit jaar wéér vergeten is bij hen een chocoladeletter te laten bezorgen. De afdeling fertiliteit is een 'zelfsturend team' binnen gynaecologie en verloskunde. 'Als het Sinterklaas is, krijgt iedereen een chocoladeletter,' moppert ze. 'Behalve wij.'

De telefoon gaat onafgebroken, maar van stress is hier niet veel te merken, ze nemen voor iedereen de tijd.

De eerste beller van Corry fluistert bijna, op samenzweerderige toon, vanuit de auto: 'Kunt u mij goed verstaan? Spreek ik met de ivf?'

Ja hoor, knikt Corry verveeld.

'We hebben binnenkort een afspraak, een eerste gesprek met de dokter, kan ik vooraf weten waar we het over gaan hebben?'

'Een gesprek?' zegt ze koeltjes. 'Eens even zien.' Corry bladert door de agenda. 'O, voor een intake. U gaat met een behandeling beginnen?'

'Ja,' zegt de vrouw. 'Moet de donor mee?'

'Eicel of semendonor?'

'Ja, eh, een vriend...'

'Semen,' stelt Corry vast. 'Die hoeft niet mee.'

Maar daar neemt de vrouw geen genoegen mee. 'Kan hij meteen inleveren op die dag?'

'Nee,' zegt Corry, die haar ogen nu zo groot als meloenen opzet. 'We doen die dag eerst een uiteenzetting van de behandeling. De donor hebben we pas een paar weken later nodig.'

'We zijn een apart geval,' fluistert de vrouw verder. 'Mijn partner is een vrouw. We willen beiden een kind van die man.'

Corry schudt haar hoofd en kijkt vragend rond. 'Gewóón samen met je vriendin langskomen, dan kun je alles bespreken.'

'Maar die vriend wil het liefst meteen langskomen en alles afgeven. Hij woont niet in de buurt, ziet u.'

'U moet gewoon eerst samen langskomen, die donor hebben we later pas nodig.'

'Dus hij hoeft niets mee te geven?' vraagt de vrouw ongelovig.

'Nee hoor, alles wordt besproken in dat gesprek.'

Ze hangt op.

'Als ze dat nou meteen zeggen...,' mompelt Ragon. Corry knipoogt en schenkt nog een kop thee in.

Er komt een e-mail binnen. Ragon opent de mail en roept: 'Weet je wie er zwanger is?!? Mevrouw xxx! Na twee keer icsi!'

Nu bromt er weer een telefoon. Ragon neemt op. Een vrouw belt voor de uitslag van haar zwangerschapstest. 'Hoe voelt het zelf?' vraagt Ragon. 'Je weet het eigenlijk al hè? Wat is je naam?' Ze zoekt het dossier op in de kast. 'Ik heb goed nieuws voor je. Gefeliciteerd.'

Joelend hangt de vrouw op. Dat was een korte.

De volgende patiënte heeft drie keer icsi gehad. Nu belt ze voor de uitslag van de laatste behandeling die ze vergoed krijgt. Ze is overstuur, want ze is gisteren ongesteld geworden. 'Ja, dat is meestal geen goed nieuws hè? Wat is je geboortedatum?' Ragon zoekt haar dossier. 'Nee, ik heb geen goed nieuws hoor. Leeft je omgeving een beetje mee? En je man? Je moet een beetje aan je toekomst gaan denken hè? Heb je al aan adoptie gedacht? We zullen een vervolgafspraak maken.'

Ze drukt de vrouw even weg en pakt de agenda. 'Dit is verschrikkelijk. Deze mensen vallen echt in een gat. Als ze besluit door te gaan, kost het ze duizenden euro's en dat zonder enige garantie.' Ze klikt op het toestel en spreekt weer tegen de vrouw. 'Je moet zelf de grens trekken en met je eigen gevoel verder. Wist je maar: na tien keer is het raak, dan doe je dat gewoon en krijg je uiteindelijk die beloning. Maar dat is niet zo. Het blijft zwemmen zonder diploma. Je blijft vragen houden waar je geen antwoord op krijgt.' Ze noteert een afspraak voor een evaluatiegesprek. 'Bereid je goed voor, praat erover met z'n tweetjes en als je besluit dat jullie uitbehandeld zijn, kun je me altijd nog bellen.'

Ragon doet even haar koptelefoon af en neemt een slok thee. 'Weet je wat het moeilijkst voor ze is als ze toch doorgaan?' verzucht ze. 'Je weet niet of het gaat lukken. Het blijft een dobbelsteen: sommigen gooien nooit een zes.'

Het liefst, zegt Ragon, zouden ze iedereen weer zwanger naar huis sturen, maar dat gaat niet. De helft gaat hier weg zonder kind. 'Wat we wél kunnen proberen is ervoor zorgen dat ze met een goed gevoel weer weggaan.'

Het gebeurt weleens dat patiënten hun eerste kind gewoon krijgen en dat het dan opeens niet meer lukt, ook niet met de hulp van het ziekenhuis. 'Dat is het ergst,' zegt Ragon. 'Die mensen blijven met vragen zitten.'

'Of mensen die ik weet niet hoeveel behandelingen hebben gehad,' raast ze door. 'En dan opeens thuis zwanger raken. Echt een raadsel. Dan zegt men: dat komt doordat je je zo druk maakte, maar het is nooit aangetoond dat stress onvruchtbaarheid veroorzaakt. Ondertussen denkt de omgeving wel: eigen schuld. Dat vind ik heel onrechtvaardig.'

Ze zet haar koptelefoon weer op. 'Mensen zijn gewend overal antwoord op te krijgen. Hier lopen ze tegen de grens aan.'

De volgende beller van Corry begint over een paar weken met haar eerste ivf-behandeling, maar nu blijkt dat ze de eerste poging van haar verzekering misschien niet vergoed krijgt. 'We kunnen een medische verklaring opstellen,' biedt Corry aan, 'waarin staat dat je zonder die behandeling niet zwanger kunt raken. Dat wil nog weleens helpen. Als dat niet werkt, moet u het zelf betalen.'

'Hoe duur is het dan?' wil de vrouw weten. 'We hebben net een nieuw huis gekocht, we zitten midden in de verbouwing, snapt u?' Ze klinkt erg gespannen.

'Het kost ongeveer vijfendertighonderd euro. Inclusief alles.'

De vrouw valt even stil. 'Goe-de-middag.'

'Je kunt het ook uitstellen als het financieel niet uitkomt?'

'Ik ben bijna zesendertig! Ik heb geen tijd! Kan ik een betalingsregeling treffen?'

Corry trekt haar wenkbrauwen op. In haar stem is niets terug te vinden van de opwinding van de vrouw. 'Daar valt altijd over te praten. Dan moet u even een afspraak maken met onze financiële afdeling. Die doen dat.'

'O, gelukkig. Dank u wel.'

Corry drukt haar weg. De volgende beller zoemt alweer als ze verzucht: 'Jarenlang gedacht: we zien wel en dan opééns moet het meteen. Dan begint de leeftijd te dringen hè?'

Esther, die nog even een dossier komt halen, zegt: 'Misschien kennen ze elkaar net.'

Ragon bekijkt het liever in een groter geheel: 'Mensen moeten gewoon eerder aan kinderen beginnen. Maar de maatschappij is erop ingericht dat we eerst gaan studeren, dan carrière maken en dan pas kinderen. Die fout moeten wij hier oplossen.'

6

De hormoonbehandeling

Als Rob Bots, of een van de fertiliteitsartsen uit zijn team, zijn zegen heeft gegeven voor een ivf-behandeling, maken de patiënten een afspraak voor een intakegesprek. Een van de verpleegkundigen legt dan uit welke medicijnen er gebruikt moeten worden en wanneer. Door de medicijnen wordt de natuurlijke cyclus volledig 'platgelegd', zoals een laboratoriumanalist het later zal noemen. 'Wij nemen de cyclus over.'

De behandeling begint met het slikken van de pil, een maand voorafgaand aan de behandeling. Daardoor weet het ziekenhuis van tevoren vrij nauwkeurig wanneer er een nieuwe cyclus begint en kan het beter plannen.

Als de nieuwe cyclus aanbreekt, begint de vrouw met het zichzelf injecteren. Eerst Lucrin, een hormoon dat ervoor zorgt dat de natuurlijke eisprong onderdrukt wordt.

Daarnaast spuit ze Gonal F in, de merknaam voor het follikel stimulerend hormoon (fsh) dat ervoor zorgt dat de eiblaasjes (follikels) in de eierstokken gaan rijpen. Bij een natuurlijke cyclus is dat er één, Gonal F zorgt ervoor dat er voor de eisprong zich zo'n tien eiblaasjes ontwikkelen. De dosering ervan luistert heel nauw en verschilt sterk per vrouw. Daarom is een eerste ivf-poging vaak een leerproces. De artsen willen weten hoe een vrouw reageert op de hoeveelheid fsh. Krijgt ze te veel fsh en maakt ze meer dan vijftien follikels aan, dan is er kans op hyperstimulatie, waar je doodziek van wordt. Krijgt ze te weinig, dan kan de poging mislukken omdat er te weinig of niet goed gerijpte follikels zijn. Tijdens het proces kunnen ze de dosis nog wijzigen, maar pas vlak voor de eisprong weten de artsen of er te veel of te weinig is toegediend. Dan is het vaak te laat om nog in te grijpen.

Die hormonen worden allemaal met een prikpen ingebracht in een vetplooitje bij de buik. Pas veertig uur voor de eisprong moet er een echte injectienaald aan te pas komen voor de Pregnyl, een hormoon (hcg) dat zorgt voor de laatste rijpingsfase van de eiblaasjes en voor de eisprong. Vlak voor de eisprong plaatsvindt moeten de eicellen eruit gehaald worden, dat is de punctie.

Die cellen gaan naar het lab en worden daar in een glazen schaaltje samengebracht met het zaad. Als het goed gaat ontstaan er zo in een paar dagen embryo's die weer worden teruggeplaatst in de baarmoeder van de vrouw. Om ze goed te laten innestelen, brengt ze vanaf de dag van de punctie twee weken lang Progestan vaginaal in. Dan begint de periode van het grote wachten.

Dit is het verhaal dat de patiënten te horen krijgen tijdens hun intake voorafgaand aan hun eerste ivf-poging. Het gesprek duurt soms wel een uur.

7

Kris en Wendy krijgen hun intakegesprek

Vandaag krijgen Kris (30) en Wendy (28) alle feiten van de hormoonbehandeling over zich heen. Kris gaat er eens goed voor zitten. Hij heeft een dik dossier bij zich, met de map van het ziekenhuis waar de hele behandeling in beschreven staat, een groot notitieblok én een clipboard met nog meer papier. Wendy trekt aan haar coltrui. 'Ik heb het er warm van,' zegt ze. 'Zenuwen.'

Anderhalf jaar geleden stopte Wendy met de pil. Ze wilden aan kinderen beginnen, maar ze werd niet ongesteld. De huisarts dacht dat de pil misschien nog doorwerkte en dat ze nog een paar maanden moest afwachten. Maar er gebeurde nog steeds niets. Ze ging terug en kreeg te horen dat ze misschien pco had, een aandoening waarbij geen of heel weinig eisprongen zijn. Ze waren erg geschrokken van dat nieuws, maar de huisarts had het zelf ook, vertelde ze en ze had twee gezonde dochters – van ivf. Ze verwees Kris en Wendy meteen door naar Tilburg.

Daar werden ze eerst onderworpen aan de methode-Bots. 'Ze wilden van alles weten,' zegt Kris. 'Wat voor ondergoed ik droeg, of ik naar de sauna ging, hoe oud we waren.'

'We deden alles goed,' zegt Wendy. 'Alleen dat nietongesteld zijn was een probleem.'

Ze werden getest, bloedprikken, zaadonderzoek, samenlevingstest, kijkoperatie. Alles was goed, alleen had Wendy geen cyclus.

Bots en zijn team besloten met iui te beginnen. In hun geval was het vooral een manier om te kijken of Wendy met de medicijnen die daaraan voorafgaan wél een cyclus had en of ze rijpe eicellen zou aanmaken. En als die eicellen toch eenmaal zouden zijn aangemaakt, zou het zonde zijn om er geen gebruik van te maken. Vijftien procent kans is een kans, zou Bots er later over zeggen.

Al bij de eerste iui-poging bleek dat er genoeg eitjes waren gerijpt. Dat werkte dus, maar zwanger was ze niet. Ze namen een maandje pauze en probeerden het weer. Weer ging het goed, alleen weer geen zwangerschap. De derde poging werd afgeblazen omdat er opeens een cyste was ontstaan die moest worden weggehaald. Een van de artsen zei: 'Ik denk dat iui niets voor jullie is. We gaan ivf proberen.'

Nu staan ze aan het begin van die eerste poging. Maar de artsen waarschuwden voor te hoge verwachtingen. Ook al ziet de verzekeraar het als een volwaardige poging, in het geval van Kris en Wendy heeft het een primair ander doel: het verzamelen van informatie. 'Eerst wijzer worden,' zeiden ze.

Met iui weten de artsen niet of de kwaliteit van Wendy's eicellen goed is, of het celdelen goed verloopt en of er goede embryo's komen. Dat willen de artsen allemaal weten. Bij ivf kunnen ze al die fasen in het lab volgen. Na het terugplaatsen van een embryo rest dan alleen nog de vraag of de innesteling goed verloopt.

Kris zit druk te schrijven als Toos uitlegt hoe het gaat

met de medicijnen. Ze weten het al een beetje, want voor de iui hebben ze ook al moeten spuiten. Daardoor weten ze hoe Wendy reageert op de hormonen en kunnen ze de doses aanpassen. 'Ivf is veel ingrijpender dan iui,' waarschuwt Toos. 'Na een ivf-behandeling loop je naar huis met het gevoel: ik ben zwanger.'

Wendy laat wat lucht uit haar mond ontsnappen. 'Laat het over je heen gaan,' zegt Toos, een beetje streng. 'De prikpen, die ken je van iui. Wanneer moet je daarmee beginnen?'

Ze kijkt naar Kris. 'Vier dagen na de pil,' leest hij voor.

'Ja,' zegt Toos. 'En daarvoor begin je met Lucrin.'

Kris krabbelt het neer en bladert zenuwachtig in zijn dossier. 'Wanneer beginnen we dan met Gonal F?'

Wendy ziet Toos en haar man al die gegevens uitwisselen en verzucht opeens: 'Het is allemaal zo zakelijk! Een technisch gebeuren, daar had ik niet zo op gerekend.'

Kris blijft rustig en zegt: 'Daarom hou ik het allemaal bij.'

Wendy loopt vol. De tranen blijven steken in haar ogen. 'Als je het niet trekt,' zegt Toos, 'geef dat dan gewoon aan. Dan kun je een gesprek krijgen met een maatschappelijk werker.'

Maar Wendy schudt haar hoofd en staart uit het raam. 'Het is gewoon moeilijk. Ik ben een heel vrolijk iemand, maar nu ben ik zó somber. Misschien komt het door die hormonen.'

'Ja,' zegt Toos. 'Iedereen in je omgeving is nu zeker bezig met kinderen hè?'

'Ja, al mijn vriendinnen.'

'Ben je dan boos,' wil Toos weten, 'als het bij hen wel lukt?'

'Nee, dat gelukkig niet,' verzucht Wendy. 'Ik ben heel blij voor ze.'

'Nou, we gaan gewoon beginnen en we zien wel,' zegt Toos opgewekt. Ze rekent uit hoeveel dagen het is van de laatste pil tot aan de eisprong en maakt een afspraak voor een paar dagen ervoor, voor een echo, om te zien hoeveel rijpe eiblaasjes er zijn. Daar, op die dag, wordt het moment van de punctie vastgesteld. 'Het is altijd afwachten hoe de punctie gaat,' zegt Toos. 'Je krijgt in elk geval een pijnstiller.'

Wendy schrikt: 'Is het zo erg?'

'Soms,' zegt Toos. 'Het verschilt nogal per vrouw. We kletsen je er wel doorheen. De dag van de punctie moeten jullie ook zaad inleveren. En goed ontbijten die dag. Neem een dagje vrij, je moet echt uitgerust zijn.'

Ze zal rond die tijd wel meer vrij moeten nemen. Twee dagen na de punctie worden de embryo's teruggeplaatst – als ze zich goed ontwikkelen. Dat is zo gebeurd, maar ze moeten er wel voor langskomen.

Ze zijn al een jaar bezig. Alle vakantiedagen gaan erin zitten. Als deze poging mislukt, nemen ze een flinke pauze.

'Hoeveel plaatsen jullie er terug?' wil Wendy weten.

'Jullie zijn jong,' zegt Toos. 'En het is de eerste behandeling, dus we plaatsen er maar één terug. Twee kindjes vinden we te veel.'

'Dat vind ik ook,' zucht Kris.

'Nou, ik denk: doe maar,' zegt Wendy.

'Het kán natuurlijk ook wel,' zegt Toos. 'Maar het gaat vaak niet goed. Na vijfentwintig weken twéé kindjes verliezen, dat is erg, hoor.'

Wendy knikt. 'Oké, doe maar de veilige weg. Met één zou ik al heel blij zijn.'

Toos schrijft alles op en rondt dan het gesprek af. 'We plaatsen de mooiste embryo terug,' belooft ze.

Als er embryo's overblijven, worden die ingevroren. Dat is handig voor de volgende keer, legt Toos uit. Dan hoeft Wendy niet al die hormonen te spuiten en krijgt ze geen punctie. 'Je hoeft alleen ovulatiepillen te slikken en dan plaatsen we ze op het juiste moment terug.'

Kris en Wendy staan op. Toos neemt afscheid met een waarschuwing voor Kris: 'Die hormonen kunnen heel heftig worden, daar kan jij, als man, ook last van krijgen.'

'Dat zien we dan wel weer,' zegt Kris stoer.

En tegen Wendy zegt ze: 'Je moet héél geduldig zijn en rustig blijven.'

'Dat kan ik niet,' zegt Wendy. 'Ik zou willen dat het nu al volgende maand was. Nee! Volgend jaar.'

8

De methode-Bots

Rob Bots zit aan de keukentafel in zijn huis in Loosdrecht. Door de glazen schuifpui kijkt hij uit op een binnenmeer. De lucht kleurt roze van de kou. In de rieten kragen van het water dobbert een groep eenden.

Eigenlijk was Bots voorbestemd om huisarts te worden. Zijn grootvader was huisarts, zijn vader, de broer van zijn vader én de broer van zijn moeder. 'Ik dacht dat iedereen huisarts was.'

Hij ging medicijnen studeren in Leiden en deed zijn artsexamen in 1970. 'Toen kreeg ik het benauwd,' vertelt hij. Voor hij door zou leren om huisarts te worden, wilde hij eerst een paar jaar naar de tropen met zijn vrouw Jacqueline en hun twee zoontjes. Later kwam er nog een dochter. Hij kreeg de kans in Kenia een ziekenhuis op te zetten. Maar om tropenarts te worden moest hij eerst een opleiding verloskunde en chirurgie volgen. 'Daar merkte ik dat ik dingen met mijn handen doen leuk vond.'

In Mumias, een dorp in West-Kenia vlak bij het Victoriameer, was hij de eerste dokter. Hij zette er samen met tropenzusters het ziekenhuis op, liet een weg asfalteren en richtte de operatiekamer in. Na drie jaar was zijn taak volbracht en keerde het gezin terug naar Nederland. Nu moest hij beslissen welke specialisatie hij zou kiezen.

'Een huisarts praat alleen, vond ik. In Afrika heb ik ontdekt dat ik opereren leuk vond. Ik wilde niet alleen praten, ook iets doen. Maar ik wilde ook langduriger contact met patiënten en niet alléén maar opereren. Verloskunde en gynaecologie is het midden tussen handwerk en praten.'

In 1974 begon hij zijn opleiding tot gynaecoloog in Den Bosch, in 1979 promoveerde hij. De echo met bewegende beelden was net uitgevonden. Tot die tijd waren er alleen stilstaande beelden. Bots zat als een van de eersten aan een apparaat van Philips met bewegende beelden. Hij analyseerde als eerste foetale adembewegingen, waarop hij promoveerde. De laatste twee jaar van zijn opleiding deed hij in het Radboud Ziekenhuis in Nijmegen, daarna vertrok hij naar Tilburg.

Het was een tijd van vooruitgang in zijn vakgebied. De nieuwe technieken waren spannend, ergens in Engeland werd de eerste ivf-baby geboren, maar wat hij echt leuk vond aan het vak was het verdriet en de blijdschap van de patiënten. 'Dat raakte me echt.'

Al sinds 1944 werd er geëxperimenteerd met vrouwelijke eicellen uit het lichaam halen en ze dan laten bevruchten met spermacellen. Maar het mislukte steeds. In 1959 publiceerde onderzoeker M.C. Chang een artikel in *Nature* waarin hij melding maakte van een doorbraak. Hij had de eicellen van een konijn in een reageerbuis weten te bevruchten. Hij had ze teruggeplaatst, ze waren ingenesteld en er was een nest geboren.

Daarna werd het weer stil.

In het Radboud raakte Bots al gefascineerd door verminderde vruchtbaarheid. 'Dat was absoluut een onontwikkeld gebied, ivf bestond nog niet in de praktijk. Er was nauwelijks een idee van hoe het te behandelen was. Het heette infertiliteit, onvruchtbaarheid. Terwijl dat eigenlijk nauwelijks bestaat. Een stel is bijna altijd verminderd vruchtbaar.'

Hij begon met goed te kijken en te luisteren. 'Mijn professor zei al: jij kunt goed naar mensen kijken.'

Toen kwam ivf.

Het eerste ivf-kind was Louise Brown, geboren in 1978. Haar ouders waren negen jaar bezig geweest met kinderen krijgen, maar het lukte steeds niet. De moeder, Lesley Brown, had verstopte eileiders. In 1976 werd ze door haar gynaecoloog doorverwezen naar Patrick Steptoe, die net bezig was met een experimentele behandeling waarbij de verstopte eileiders werden gepasseerd. Hij richtte met collega Robert Edwards een kleine kliniek op net buiten Cambridge. Al sinds 1958 was Robert Edwards bezig met het rijpen van menselijke eicellen buiten de baarmoeder. Op een dag, in 1968, belde hij Patrick Steptoe, een specialist in laparoscopie, kijkoperaties met een lange dunne buis. Vijf jaar later haalde Steptoe voor het eerst één eicel weg uit de eierstok van Lesley Brown. Zonder medicijnen, op de natuurlijke cyclus van de vrouw. Na de bevruchting wachtten de artsen tot het embryo acht celdelingen had en plaatsten het in de baarmoeder. Bij de tweede poging was Lesley Brown zwanger van Louise.

Rob Bots kan zich nu nog ergeren aan de reacties die toen loskwamen. De artsen werd verweten 'voor God te spelen', terwijl hij dat nou juist niet kan. Leden van een Engelse parlementscommissie protesteerden tegen deze 'ongecontroleerde genetische manipulatie', een van hen had het zelfs over 'hitleriaanse methoden'. Paus Paulus xii was tegen, omdat het 'de natuurwetten' zou schenden 'en in strijd is met het huwelijk en moraliteit'. 'Islamitische schriftgeleerden' in Caïro keken er volgens nrc Handelsblad van 28 juli 1978 anders tegen aan: het was niet in strijd met de islam – als het zaad maar afkomstig was van de wettelijke echtgenoot van de vrouw. De telefoon van het ziekenhuis stond nog dezelfde dag niet meer stil, de lijnen raakten geblokkeerd.

In zijn vakgebied was iedereen in de ban van de nieuwe machotechniek, zoals Bots het noemt. In Nederland werden in 1983 de eerste ivf-kinderen geboren, in Rotterdam. In 1985 ontstonden de eerste zwangerschappen met hulp van het lab in Tilburg. Toen werd alleen ivf toegepast en uitsluitend bij verstopte eileiders. Een enkele keer bij onbekende onvruchtbaarheid.

Het St. Elisabeth Ziekenhuis was na Rotterdam het tweede ziekenhuis waar zo'n behandeling mogelijk was. Het hoofd van dat lab, Marcel Peeters, was er samen met Rob Bots dus vroeg bij. 'Er kwam een hele berg werk aan,' zegt Bots. 'Ivf werd op een enorm voetstuk geplaatst.' Er kwamen gaandeweg meer Nederlandse klinieken bij. In die tijd lag de focus vooral op ivf. Bots zag het liever breder. 'Er komt een paar binnen en je weet niet wat ze hebben. Ze weten alleen dat ze geen kinderen kunnen krijgen.' Dus noemden ze de afdeling fertiliteitskliniek.

Ook met al die nieuwe technieken op zijn weg ging Bots gestaag door met zijn tactiek van goed kijken, luisteren en kleine verbeteringen. Hij vond vaak scepsis van collega's op zijn weg. 'Als een stel in mijn praktijk spontaan zwanger raakte, zeiden ze: Ha! Wat heb jij daaraan gedaan?'

Sinds de geboorte van Louise Brown is de techniek verbeterd. De medicijntoediening is verfijnder, het kweekmedium in het lab is steeds beter geworden, waardoor het menselijk materiaal er beter in kan overleven, en icsi is erbij gekomen, evenals eiceldonatie en mesa/tese, een techniek waarbij ongerijpte spermazaadjes uit de bal worden gehaald. Maar het blijft, zoals Bots zegt, millimeterwerk. 'We helpen wat, dat is alles.'

Inmiddels zijn er zo'n drie miljoen ivf-kinderen op aarde.

De werkwijze van Rob Bots heeft zich inmiddels ontwikkeld tot een multimediale methode. Allereerst is er de website. Hij vraagt al zijn patiënten de site te raadplegen. Alles wat hij in de spreekkamer zegt, kunnen ze zo weer vergeten of anders interpreteren. Op de website kunnen ze thuis alles nakijken en staat het precies geformuleerd zoals Bots het wil. Tijdens het spreekuur gebruikt hij de site ook om de patiënten plaatjes te laten zien. 'Wij investeren heel veel tijd in uitleg. Daarbij ga ik back to basics, ik geef ze niet de hautaine visie. Ook mijn fertiliteitsartsen zijn daarvan doordrongen.'

Waar collega's een beetje raar tegen aankijken, is Bots' theorie over strak ondergoed en warme baden. Bots is zich er juist over blijven verbazen dat de man zo weinig aandacht krijgt.

Het begon met een paar aan het begin van zijn carrière dat hem altijd zal bijblijven. 'Hij was dominee, zij had vreselijk veel verdriet dat ze geen kinderen hadden.' Niemand wist wat er aan de hand was. Bots besloot eens naar die man te kijken. Hij bleek zeer strak ondergoed te dragen en iedere dag een heet ligbad te nemen. 'Ik zei:

doe dat nu eens anders, los ondergoed en even niet in bad. Binnen een half jaar was ze zwanger.' Nu nog steeds is hij ervan overtuigd dat dát het was. 'In al die jaren ben ik er meer en meer in gaan geloven dat het werkt. Ik ben er dieper in gedoken, ben er lezingen over gaan geven en artikelen over gaan schrijven. Herman van Roijen, onze uroloog, zit op dezelfde golflengte als ik.'

Volgens hem is het heel simpel: dat klokkenspel van de man bungelt niet voor niets buiten het lichaam. De temperatuur in de balzak is daarom drie graden lager dan de lichaamstemperatuur. Zouden de ballen dezelfde temperatuur hebben als het lichaam, dan houdt de aanmaak en de rijping van de zaadcellen onmiddellijk op. Dat geldt voor bijna alle zoogdieren.

De hele anatomie van het scrotum is ertoe uitgerust om die temperatuur laag te houden. Rondom de slagader is een heel netwerk van kleine aders die zorgen voor de afkoeling van het bloed. Bij sommige mannen ontstaan spataders in het scrotum waardoor het koelsysteem van de zaadballen minder goed werkt. Hierdoor is het zaad van minder goede kwaliteit. Dat heet een variocèle. Dat is te opereren. Er bestaat geen twijfel dat behandeling van een varicocèle de zaadkwaliteit bij driekwart van de subfertiele mannen verbetert – door de temperatuurverlaging die daarna optreedt.

Een strakke broek veroorzaakt een vergelijkbare temperatuurverhoging als bij een variocèle. Op zijn website schrijft Rob Bots: 'Álles wat "oververhitting" van de testikels kan veroorzaken, zoals zittend werk, warme ligbaden, sauna, elektrische dekens of koorts, kan eveneens schadelijk zijn voor de spermakwaliteit.'

Langzaamaan begint hij bewijzen te vergaren voor zijn

werkwijze. Al sinds 1994 werkt hij aan een database waarin hij de gegevens van alle paren bijhoudt, FertiBase. Hij nam zelf het initiatief en maakte het programma met een programmeur. Fertiliteitsafdelingen van andere ziekenhuizen zijn dezelfde database gaan gebruiken. Zo ontstaat er langzaam maar zeker een database met veel gegevens.

Een ander stokpaardje van hem is het 'vruchtbaarheidsvenster', waarmee hij heel precies uitzoekt hoeveel vruchtbare dagen een stel heeft.

Er is een test, legt hij uit, de Sims-Hühnertest, ook wel: de samenlevingstest. Die wordt op grote schaal gebruikt. Vlak voor de eisprong moet een stel met verminderde vruchtbaarheid op advies van het ziekenhuis gemeenschap hebben. De volgende ochtend wordt de vrouw dan onderzocht. De arts kijkt of het zaad kan overleven in het slijm van de baarmoedermond.

Een test is positief wanneer op z'n minst één à twee goed bewegende zaadcellen worden gezien bij een vergroting van vierhonderd keer. Een test is negatief wanneer er geen of alleen dode of uitsluitend op de plaats bewegende zaadcellen in het slijm worden gevonden. De test kijkt dus alleen of het zaad een nacht in het slijm kan overleven, het kijkt niet hoeveel zaadcellen er naar de eileider zijn gezwommen. En dát is het belangrijkst.

Waar de test ook niet naar kijkt, is hoe het zit met de doorlaatbaarheid van het baarmoedermondslijm in de dagen eromheen. Het is een momentopname.

Daarom is er veel kritiek op de test, maar er is niets anders, dus wordt-ie nog steeds veel gebruikt.

Tot nu toe gaat de literatuur uit van vijf à zes vruchtbare dagen per cyclus. Als alles goed werkt, klopt dat.

Maar hoe zit het een stel waarvan hij een béétje lui zaad heeft en zij een béétje moeilijk doorlaatbaar baarmoederhalsslijm? Wat is dan het ideale moment voor gemeenschap of een inseminatie? Dat zoeken ze in Tilburg heel precies uit. 'Een eenvoudig idee,' zegt Bots. 'Maar ik heb het nog nooit in de literatuur gezien.'

Bots laat tot voor kort zo'n stel elke dag komen, vanaf vijf dagen voor de eisprong. Hij neemt dan een monster van het baarmoedermondslijm. Als het stel toevallig de dag ervoor gemeenschap heeft gehad, kan hij in de microscoop zien of het zaad nog goed beweegt. Hij kan ook het baarmoedermondslijm bewaren in een glazen schaaltje in het lab. Als de man later zaad langs brengt, kan daar gezien worden hoe doorlaatbaar het slijm op die dag was. Zo wordt elke veronderstelde vruchtbare dag in kaart gebracht.

Stellen waarvan hij lui zaad heeft en zij moeilijk doorlaatbaar slijm, hebben dan misschien maar één of twee vruchtbare dagen. Jarenlang verzamelde hij gegevens en vond grote verschillen in kans. Van zeventig procent kans per jaar bij vijf vruchtbare dagen, tot vijf procent kans bij minder dan een vruchtbare dag. Belangrijke informatie. Als je dat weet, is het makkelijker om te beslissen welke behandeling er nodig is of nog preciezer uit te rekenen wanneer het ideale moment is voor samenleving, zoals vrijen hier heet. Nu is het onderzoek klaar en hoeven patiënten niet meer elke dag te komen. Door ze een of twee keer te zien in hun vruchtbare periode, kan hij de rest inschatten.

Rob Bots heeft er een artikel over geschreven. *Human Reproduction*, hét blad voor fertiliteitsartsen, gaat het ergens in 2007 plaatsen. Een mijlpaal voor Bots, aan de vooravond van zijn pensioen. Hij gelooft dat dit soort kleine inzichten het vak langzaam vooruit brengt. 'Er zal nooit een techniek komen die alle andere overbodig maakt,' denkt hij.

Nog maar een paar maanden werkt fertiliteitsarts Hanneke van Krevel voor Rob Bots. Het was voor haar even slikken dat ze ook naar de mán moest kijken. 'Vreselijk vond ik dat! Ik ben het niet gewend aan die ballen te moeten zitten. Ik zeg liever: breng je sperma maar naar het lab. Maar Bots zegt: het is goed voor de vrouw om te zien dat we ook naar de man kijken, dat we hem nu eens in de hoek zetten. Dat is waar.'

Ze ervaart haar overgang van het ziekenhuis waar ze eerder werkte naar het St. Elisabeth als een cultuurschok. Daar werd bij patiënten soms iets langer de kat uit de boom gekeken. 'Hier gaan ze veel meer met je aan de slag,' zegt Van Krevel.

Als voorbeeld noemt ze de 'escape-ivf', een verschijnsel dat in Tilburg regelmatig voorkomt. Als vrouwen een iui-behandeling ondergaan, krijgen ze meestal hormonen om de groei van de eiblaasjes te stimuleren en om de eisprong precies te timen. Het komt dan voor dat er meerdere eiblaasjes worden aangemaakt, waardoor de kans op een meerling groot is. Je kunt er een paar 'wegprikken', maar wat als het er heel veel zijn? 'Bij mijn vorige werk zeiden we dan: we stoppen.' Rob Bots stelt in zo'n geval vaak voor metééen ivf te doen. Hij vindt het zonde voor de zuur verdiende eicellen.

Dat is zwaar voor de patiënte, legt Van Krevel uit. De vrouw komt voor een iui, wat een redelijk lichte behandeling is. En opééns ligt ze op de behandeltafel voor een punctie en krijgt ze ivf. 'Ik vind dat agressief. Daar spreek ik hem wel op aan. Maar weet je wat het is? Die vrouw is nu wel zwanger.'

Ze moest ook wennen aan Bots theorie van het 'vruchtbaarheidsvenster'. 'Het is een heel gedoe: die mensen moeten vaak naar het ziekenhuis komen om te kijken wat dat slijm doet. Maar dan weet je ook wat. Het is veelzeggender dan alleen zo'n postcoïtumtest die ze overal standaard doen. Daarin is hij baanbrekend.'

Bots is, zegt Van Krevel, iemand die tegen grenzen aan duwt. Een ding ziet Van Krevel wel: de mensen worden in het St. Elisabeth héél serieus genomen. 'Er zijn vele wegen die naar een zwangerschap leiden, dat denk ik de laatste maanden steeds. Hier zijn ze altijd bezig met je, er gaat geen maand verloren.'

Elke maand moeten we pakken, elke maand de kans verhogen. Dát is volgens haar het motto van Bots. 'De patiënt voelt zich daar prettig bij.'

Bij veel andere ziekenhuizen, zegt Van Krevel, doen ze alleen iets als ze zeker weten dat het zal helpen. 'Wat is beter? Ik weet het niet.'

Een paar weken later gaat een vrouw op de behandeltafel van Rob Bots liggen. Haar man zit naast haar. Ze heeft pco, poli cysteus ovariumsyndroom, een verzamelnaam voor vrouwen die geen of te weinig eisprongen hebben. Het is, zegt Rob Bots, de nachtmerrie van de fertiliteitsarts. Deze vrouwen proberen ze met hormonen weer aan twaalf eisprongen per jaar te helpen. Dat heet ovulatie-inductie. Het is heel moeilijk om hierbij de juiste dosering hormonen te bereiken. Dan zijn de eiblaasjes weer te klein, dan weer te weinig, te groot, te veel.

Het is voor een arts altijd balanceren. Als ze te veel hormonen krijgt, heeft ze kans te veel blaasjes aan te maken en dus op meerlingen. Te weinig betekent wéér een maand gemist.

De vrouw die nu op de behandeltafel ligt, is al bijna een jaar bezig. Steeds weer opnieuw had ze te kleine ei-blaasjes. Nu hebben ze de dosis hormonen verhoogd. Vandaag kijkt Bots wat het resultaat is. Ze is tweeëndertig.

Bots duwt de echosonde naar binnen. Hij ziet de binnenbekleding van de baarmoeder, die ziet er goed uit. Dan draait hij de sonde richting eierstok. Op de wazige zwart-witbeelden van de echo is het meteen duidelijk. Talloze grote blaasjes draaien door het scherm, als een rijpe druiventros.

Meteen haalt Bots de sonde eruit en zegt: 'Het is bij jou alles of niks hè?'

De vrouw komt overeind en bedekt haar onderbuik met haar handen.

'We zijn nu bijna een jaar bezig,' zegt Bots. 'Steeds had je geen rijpe blaasjes. Maar nu zitten er vijf.'

De vrouw kijkt gespannen, haar man pakt haar hand.

'Als we nu doorgaan, krijg je een vijfling,' zegt Bots.

'Ik kan nu één ding doen,' vervolgt hij. 'Ik kan ze eruit halen en laten bevruchten in het lab.'

De man knikt. 'Ivf,' legt hij de vrouw uit.

'Dit is een overval,' zegt Bots. 'Dus denk goed na. Als jullie het te veel vinden doen we het niet.'

De vrouw kijkt naar de man.

Bots verduidelijkt nog eens: 'Het is een zware behandeling. Niet voor ons, maar voor jullie.'

De man kijkt de zwijgende vrouw diep in de ogen en

zegt beslist: 'Dat moeten we maar niet doen.' De vrouw schudt haar hoofd, haar ogen stijf gericht op hem. De man legt uit: 'Haar moeder zit nu midden in een chemokuur, het is op dit moment te zwaar.'

'Goed,' zegt Bots. 'Goed dat je me dat vertelt. Dan moeten jullie gewoon een paar maanden uitrusten. Maak een nieuwe afspraak wanneer jullie willen en blijf ondertussen proberen. Ik hoop dat jullie nog een beetje van elkaar houden.'

'O, dat is geen probleem,' zegt de man stoer.

Bij de deur zegt Bots: 'En als jullie vrijen, wel met condoom hè? Anders krijg je een vijfling.'

Als ze weg zijn krast hij in het dossier.

'Geannuleerd' staat er, met dikke strepen eronder.

Kris en Wendy bereiden zich voor op ivf

In Biezenmortel doet Wendy de deur van de ijskast open. Witte medicijndozen vechten om ruimte met een tupperware met macaroni en gehakt en belegen kaas in dikke plakken. Sinds het intakegesprek met verpleegster Toos staat ze 's morgens om zeven uur op om te spuiten. Het moet altijd op hetzelfde tijdstip. Dat was moeilijk kiezen, aangezien Wendy op onregelmatige tijden werkt. Soms moet ze 's morgens vroeg in het tehuis voor verstandelijk gehandicapten zijn, dan weer 's middags. En 's avonds op een vast tijdstip spuiten is ook ingewikkeld. Wat als je elf uur uitkiest en je staat dan net op een feestje? Kerst en Oud en Nieuw vallen precies in de periode dat ze moet spuiten. Dus besloot ze dat zeven uur 's morgens een veilig tijdstip was. Als ze laat naar haar werk gaat, staat ze op, spuit ze en gaat ze weer naar bed, ook in het weekeinde. Als ze een vroege ochtenddienst heeft, kan ze nét voor ze de deur uit moet nog even spuiten. Ze pakt dan een stuk vel van haar buik tussen duim en wijsvinger en duwt de prikpen er in. Pats! Dat vindt ze niet erg. Ze heeft er ook nog niet veel last van, vertelt ze. Ze is iets emotioneler dan anders, maar het valt haar erg mee.

Kris en Wendy zitten aan de keukentafel. Een schutting belemmert het zicht op de witgesneeuwde weilanden achter hun tuintje. De feestdagen komen eraan. In de hoek van de kamer staat een bomvolle kerstboom. Wendy werkt deze dagen gewoon door, alle vrije dagen heeft ze de komende tijd nodig voor deze eerste ivf-poging. Ze is een tenger meisje, met kort zwart haar, sportief gekleed, een witte joggingbroek en een wit hemdje met een vest erover.

Ze vertellen hoe ze elkaar leerden kennen, acht jaar geleden. Wendy begint opgewonden te giechelen om die vraag, maar Kris zegt: 'Zo spectaculair was het toch niet?'

Wendy woonde in Tilburg, haar vader tijdelijk hier in het dorp, Biezenmortel, waar Kris vandaan komt. Ze ging er carnaval vieren. Tijdens het Opwarmersbal op vrijdag kwam Kris naar haar toe en zei: 'Hoi. Ik ben Kris met een k.'

Het jaar daarop ging ze vaak mee stappen. Kris organiseerde elk weekend uitjes met de touringcar, want in Biezenmortel is niet veel te beleven. Dan gingen ze uit in Antwerpen of naar de TimeOut, een nachtclub op een industriegebied in Gemert. 'Het hele dorp voor een tientje mee de bus in,' zegt Kris, nog steeds trots op de prestatie. 'Elk weekend vijftig man.'

Daar, in de bus, spraken Kris en Wendy elkaar weleens. Maar er gebeurde niks.

'Ik was een beetje druk met andere vrouwen,' zegt Kris.

'Zo'n popiejopie wilde ik niet,' zegt Wendy.

Maar toen leerde ze hem langzaam kennen. Hij was veel vasthoudender dan ze had vermoed.

'Je bent heel anders dan ik dacht,' zegt ze nu. 'Helemaal geen onbetrouwbaar type.'

Kris lacht triomfantelijk. Hij vond haar altijd al leuk, vertelt hij. Maar Wendy had kanker. Een hersentumor. Ze was negentien. Na een operatie en een bestraling was-ie weg, hoopten ze. Later kwam de tumor terug.

De vriendin van Kris' broer wist dat Kris Wendy leuk vond. Dus de carnaval daarop zei ze: 'Als je het nu niet zegt, vertel ik het tegen haar.'

Die avond kregen ze verkering.

In juni kwam de tumor terug en moest Wendy weer geopereerd worden. 'Ik vind haar zo leuk dat ik mijn twijfel aan de kant schoof,' zegt Kris. 'Ze vroegen me wel of ik wist waar ik aan begon, zelfs mijn ouders zeiden: wat als ze het niet overleeft? Maar ik dacht: dat zien we dan wel weer.'

Dat jaar ging ze in en uit het ziekenhuis. Toen de tumor een jaar weg was en ze in afwachting was van het uitblijven ervan, kreeg ze een ongekende levenslust. 'Ze wilde alles meemaken,' zegt Kris. 'Samenwonen, trouwen.'

'Kinderen,' zegt Wendy.

'Alles in stroomversnelling,' zegt Kris. 'Voor als het toch mis zou gaan. Dus dat zijn we toen maar gaan doen.'

Op haar trouwdag droeg Wendy een hoed, om de kale helft van haar hoofd te bedekken. De foto's ervan hangen door het hele huis.

'We hebben een hoop meegemaakt,' besluit Kris. 'Er is bij ons altijd wel iets. Daarom blijven we rustig over die ivf. Het hoeft niet allemaal in een keer goed te gaan.'

Dat een chemokuur de vruchtbaarheid kan verminderen is bekend. Maar Wendy heeft nooit een chemokuur gehad. Haar hersenen zijn bestraald. De artsen zeiden:

het heeft geen gevolgen voor uw vruchtbaarheid, maar is dat wel zo? 'Die hersenen regelen alles hè?' zegt Kris. 'Ook de hormoonhuishouding.'

Ze hebben het wel verteld aan de fertiliteitsartsen in Tilburg. 'Daar hadden ze niets mee,' zegt Wendy. 'Ze weten niks van neurologie.'

Er is, vertellen ze, niemand in het ziekenhuis die iets afweet van én neurologie én hormoonhuishouding én vruchtbaarheidsbehandelingen. Dat hebben ze weleens gevraagd. En of er buiten het ziekenhuis iemand rondloopt die wel antwoord heeft op hun vragen, hebben ze zich nooit afgevraagd. Ze hebben besloten zich erbij neer te leggen dat ze nooit zullen weten wat het precies is dat Wendy's cyclus heeft platgelegd. De artsen hebben geprobeerd de cyclus weer op te wekken met hormonen, maar dat leverde geen zwangerschap op. Daarom kwamen ze uit bij ivf. 'Het heeft geen zin om heel internet af te gaan zoeken naar een eventueel verband. Ze hebben maar een paar manieren om je te helpen zwanger te worden. Daar gaat het ons om,' zegt Kris. 'Wat maakt het dan uit wat het precies is?'

Heel weinig mensen weten dat ze ermee bezig zijn. Alleen Wendy's directe bazin weet ervan. Dat was een tip van het ziekenhuis. 'Dan voel je je minder bezwaard als je steeds weg moet,' zeiden ze. Kris denkt dat ze bij hem op het werk wel een vermoeden hebben, maar hij houdt zijn lippen stijf op elkaar. Zijn ouders, die in de buurt wonen, weten het wel, maar niet wat en wanneer precies. 'Anders zouden ze elke dag bellen,' zegt Kris. Ze moesten het op een dag wel vertellen, want in het ziekenhuis kwamen ze steeds vaker bekenden tegen.

Toen ze de buurvrouw van zijn ouders er zagen, konden ze het niet langer verborgen houden.

'Iedereen in onze omgeving is met kinderen bezig,' zegt Wendy. 'Als we het zouden vertellen zouden we de hele tijd vragen krijgen. Of ze durven op verjaardagen niet over hun kinderen te praten. Dat wil ik allemaal niet.'

Zelfs Wendy's zus, met wie ze een heel sterke band heeft, weet het niet. Ze zijn bang dat ze té bezorgd zou zijn. 'Het is wel moeilijk hoor,' zegt Wendy. 'Soms heb ik zin om het eruit te flappen.'

Maar Kris denkt echt dat het beter is zo. 'We zullen achteraf wel horen wat ze allemaal gedacht hebben.'

Wendy wéét dat deze eerste ivf-poging eigenlijk een test is. Het is bij haar heel moeilijk vast te stellen hoeveel hormonen ze nodig heeft. De kans dat het allemaal goed gaat, is klein. Misschien, hebben de artsen gezegd, ontwikkelen de eicellen zich niet goed en wordt het toch iui. 'We hebben er weinig over te vertellen,' zegt Wendy. Maar het wachten vindt ze erg lastig.

Kris relativeert en zegt: 'We zijn nog jong, we hebben de tijd.'

Ja, knikt Wendy. 'Stel dat we pas later waren begonnen, dat ik al vierendertig was. Dan was het echt een ander verhaal.'

Er is geld, zegt Kris, om na drie pogingen door te gaan. Maar dan moeten de artsen wel zeggen dat het zin heeft. 'Als ze zeggen: het is bijna niet te doen, dan stoppen we.'

Wendy staat op en schenkt zwijgend een kop koffie in.

Dat geld is eigenlijk bedoeld om ooit een huis te kopen, maar als het nodig is, kunnen ze blijven proberen tot hun veertigste. 'Het houdt je wel op,' zegt Kris. 'We willen zo veel plannen verwezenlijken, maar nu moet dat allemaal even wachten.'

Wendy heeft het er zichtbaar moeilijker mee. 'Ik moet soms echt op mezelf inpraten: ik heb een fijne familie, een lieve man, veel vrienden.'

Kris haalt zijn schouders op: 'Ja, er mist altijd wel iets. Ik ken bijna niemand die tevreden is met wat-ie heeft. Wij zijn tevreden met wat we hebben.'

Maar Wendy praat gewoon door: 'Ik moet er niet aan denken dat het helemáál niet zal lukken. Dat is echt mijn schrikbeeld.'

Nog een paar weken, dan gaat het echt beginnen. Heeft ze nu geen zin om haar zus te bellen? 'Nou, nu weten we nog niet heel veel, dus dat gaat wel. Maar als het heel spannend wordt, zal het moeilijk zijn niets te zeggen.'

Kris heeft een oplossing: 'Gewoon twee maanden niet op de koffie gaan.'

10

De oudere moeder

Van de vrouwen die bij Rob Bots de spreekkamer binnenlopen, is een tiende boven de veertig. Een kwart van de kinderen – drieënveertigduizend – die jaarlijks geboren worden heeft tegenwoordig een moeder van boven de vijfendertig. Er zijn er ook die er nog ouder aan beginnen: bijna zevenduizend vrouwen kregen in 2003 hun eerste kind tussen hun veertigste en vierenveertigste (CBS). Dat zijn bijna allemaal hoger opgeleide vrouwen.

Dit soort cijfers gaat vaak gepaard met een rijtje 'uitstelmotieven' die de vrouwen noemen. Ze willen eerst een studie afmaken, carrière maken, genieten van vrijheid. Of ze hebben het over 'loopbaanonderbreking', 'gebrek aan kinderopvang' of 'financiële redenen'. Maar vaak is het: geen geschikte partner hebben of twijfelen aan een relatie. Als dan rond haar veertigste alles in orde lijkt en ze er aan wil beginnen, wordt het wel erg spannend.

Niet iedereen lijkt dit te beseffen. De verwachtingen van de veertigplusvrouwen in de spreekkamer van Rob Bots zijn soms erg hoog. Ze worden boos als hij uitlegt dat hij weinig voor ze kan doen. Er zijn ook vrouwen die zich wel realiseren dat hij niet veel kan doen, maar die lijken te komen om later zeker te weten dat ze er alles aan gedaan hebben. Om zich ermee te verzoenen dat ze te lang gewacht hebben. Een kwart van de hoogopgeleide vrouwen boven de vijfenveertig blijft kinderloos, soms bewust, soms tegen haar zin.

Er zijn medici en beleidsmakers die daarom vinden dat elke biologieklas het volgende lesje uit het hoofd zou moeten leren. Als een vrouwelijke foetus twintig weken oud is, halverwege de zwangerschap, heeft ze de grootste eicelvoorraad die ze ooit zal bezitten: zeven miljoen eitjes. Dan begint de afname al.

Als ze geboren wordt, heeft ze er nog maar één miljoen. Tegen haar eerste menstruatie zijn er driehonderdduizend over. Vanaf dat moment verliest ze elke maand zevenhonderd tot duizend eitjes. Dat gaat door tot aan haar menopauze, de laatste menstruatie van de vrouw. Tot die tijd kan een vrouw in principe zwanger raken. Alleen wordt de kans langzaam kleiner.

Maar dan is er ook nog de kwaliteit van de eitjes. Want naast de afname van het aantal eicellen, neemt ook de kwaliteit van het genetisch materiaal in de eicel af. Elke maand selecteert de vrouw de beste eicellen uit haar voorraad. Hoe ouder ze wordt, hoe minder goede eicellen er nog zijn. De keuze wordt steeds beperkter. Een vrouw merkt niets van deze achteruitgang, ze wordt elke maand gewoon ongesteld, maar ondertussen verkleinen haar kansen om zwanger te raken.

Die kansen worden bepaald door de omvang van de eicelvoorraad, de kwaliteit ervan en van de frequentie waarmee het paar gemeenschap heeft. Als een vrouw van negenentwintig vijf dagen per maand vruchtbaar is en in die periode minstens een keer gemeenschap heeft gehad met een man met goed zaad, heeft ze ongeveer twintig tot dertig procent kans om in die maand zwanger te raken. Bij een vrouw van vijfendertig is dat tien procent, boven de achtendertig nog maar vijf.

Deze becijfering klinkt heel precies en toch weten artsen niet welke vrouw wél na haar veertigste nog kinderen kan krijgen en welke niet. Er zijn vrouwen die op hun vijfendertigste al door het grootste deel van hun eivoorraad heen zijn. Maar er zijn ook vrouwen die op hun vijfenveertigste nog zwanger raken. Dat geeft ongeveer de bandbreedte van de vrouwelijke vruchtbaarheid aan.

Er zijn tests om de eicelvoorraad te meten, maar die zijn niet zo precies. Rob Bots heeft er meer aan te weten hoe oud een vrouw is, hoe oud haar moeder was toen ze in de overgang raakte, dan kan hij iets vermoeden over de omvang van de eivoorraad. Ook wil hij weten of ze rookt of ooit gerookt heeft, dat zegt weer iets over de mate waarin het genetisch materiaal beschadigd is.

Als de eivoorraad nog redelijk is, maar de kwaliteit slecht, heeft een vrouw minder kans om zwanger te raken dan wanneer de kwaliteit van de eicellen goed is. Met deze factoren kan een arts een inschatting maken van vruchtbaarheid op latere leeftijd. Maar het blijft in grote mate een gok.

Op hogere leeftijd zijn alle functies nog intact. Aan die overige functies kunnen de artsen van alles doen, maar uitgerekend aan die eivoorraad niet. Dát is voor oudere vrouwelijke patiënten een pijnlijke boodschap.

Het stel dat eenmaal in de spreekkamer van de gynaecoloog zit, denkt met hulp van de dokter hun kansen te kunnen verhogen. Ze willen, met andere woorden, behandeld worden. De arts die tegenover hen zit, weet niet of hij te maken heeft met een vrouw die door haar goede eicellen heen is of dat ze er nog genoeg heeft om een ivf-poging te doen. Alleen als ze er genoeg heeft, is een behandeling zinvol. Een ivf-behandeling vergroot de kansen van zo'n stel, ondanks de verminderde kwaliteit van de eicellen. Dat komt met name door de selectie van embryo's, waarbij de minder goed geslaagde exemplaren eruit gehaald worden. Als ze in de natuur twee procent kans per maand heeft om zwanger te raken, heeft ze met ivf wel acht tot tien procent. Maar dat geldt alleen als ze goed reageert op de hormoonbehandeling. En dat kan niemand voorspellen.

Een vrouw van veertigplus die mondig is en flink doorzet, kan in Nederland een ivf-behandeling krijgen. Ivf inzetten bij deze gevallen is een grote discussie onder gynaecologen (en verzekeraars). Een gezonde vrouw krijgt dan een zware behandeling, omdat ze te laat aan kinderen is begonnen. Dit is een van de grootste dilemma's van fertiliteitsartsen.

Als al deze feiten op tafel liggen, probeert Rob Bots de mensen zelf te laten beslissen of ze wel of geen behandeling willen. Zónder overigens een bevredigend alternatief te hebben. En als ze er van afzien, zullen ze nooit weten of de vrouw met ivf wél zwanger was geworden. Bij deze patiënten komt het aan op slim woordgebruik, op de juiste metaforen. Het herhalen, herhalen, herhalen van de feiten. En die komen hard aan.

11

Het veertigplusspreekuur

Vanmorgen zitten er veel stellen in de wachtkamer waarvan de vrouw veertigplus is. 'Wat je nóóit moet doen,' legt Bots uit als hij door het volgende dossier bladert, 'is zeggen: u bent te oud. Je moet alles precies doen zoals je bij gewone patiënten zou doen. Anders accepteren ze het niet.'

Een vrouw met wilde krullen en een man met rood aangelopen gezicht schuiven aan. De vrouw heeft vleesbomen in haar baarmoeder en een van de fertiliteitsartsen heeft volgens de vrouw gezegd: als je die laat weghalen kan je zwanger worden wel vergeten. Ze komt voor een second opinion.

Bots: 'Hoe oud bent u?'

'Drieënveertig,' zegt ze.

Haar huid ziet er slecht uit. Veel zon en veel cafégezelligheid is ervan af te lezen.

Bots klikt wat in zijn database, alsof hij even na moet denken. Dan besluit hij ze zelf nog eens te ondervragen.

Ze kennen elkaar drie jaar, een jaar geleden stopte ze met de pil. Ze zijn al een keer eerder geweest, de meeste lichaamsfuncties zijn gecontroleerd en in orde, alleen haar cyclus is een beetje onregelmatig.

Ze rookt vijftien sigaretten per dag. Hij 'net geen pakje'. 'Kan je lezen?' zegt Bots streng. 'Weet je wat er op het pakje staat?' De man lacht schaapachtig. Ze drinken ook flink.

Het sperma is net onderzocht. Uit zijn zak haalt de man een verfrommeld briefje met de uitslag en geeft het aan Bots. 'Euh, niet slecht,' zegt Bots.

Dan maakt Bots een echo van de vrouw. Haar baarmoeder ziet er grillig uit door de vleesbomen. Vier telt hij er. Ze heeft net haar eisprong gehad. Het geknapte eiblaasje is heel mooi te zien op de echo. 'Gaaf zeg,' fluistert de man. Terug achter het bureau krast Bots de lijntjes op het schema dat de patiënten meekrijgen.

Eerst gaat hij in op de punten die te beïnvloeden zijn. Het effect van vleesbomen op de vruchtbaarheid, bijvoorbeeld, is heel wisselend. Die kunnen weggehaald worden. De koeling van de ballen van de man kan beter, hoewel het zaad vrij redelijk is. Het slijm van haar baarmoedermond is in orde. Eigenlijk zijn er geen bijzondere eigenschappen te vinden die een zwangerschap zouden kunnen verhinderen.

Maar de leeftijd van de vrouw is 43,7 jaar. Bots trekt een lange streep vlak langs de nullijn en legt voor de tweede keer vandaag uit hoe het zit met de grootte van de eivoorraad en de kwaliteit ervan.

'Als je rookt is de afbraak hoger,' doet Bots er een schepje bovenop. 'Je beschadigt het erfelijk materiaal.'

'En de zonnebank?' vraagt de man. 'Is dat ook erg?'

'Nee,' zegt Bots, 'niet dat we weten.'

Hij wijst het paar op de statistieken voor vrouwen boven de veertig: twee à vijf procent kans per maand. Bij een leeftijd van 43,7 en roken moet het nóg kleiner zijn, maar daar zwijgt hij over.

In plaats daarvan zegt hij tegen de man: 'Ik kan jouw

vrouw niet jonger maken. En leeftijd is jullie grootste probleem.' Het stel knikt alsof ze dit wel vaker gehoord hebben. Toch lijkt het nog niet helemaal aan te komen. Totdat Bots zegt: 'We hebben hier in vijfentwintig jaar nog nooit zwangerschappen gezien bij iemand die boven de drieënveertig is. Wel spontaan, maar nooit met ivf. Zeg nooit nooit, maar áls het lukt, halen we de krant.'

En dan vat hij samen: 'Wat kunnen we wél voor jullie betekenen? Ik kan het vervoer voor jullie overnemen. Maar het genetisch materiaal daar gaat het om. En dat kan ik niet beter maken.'

Nu wordt de man een beetje bozig: 'Ja, maar je kan toch dat vervoerding doen, zei je net?'

'Dáár lijkt niks mis mee.'

De vrouw zwijgt nog.

Dan valt Bots terug op de techniek van de herhaling: 'Als je me vraagt: doe ivf, zeg ik: dat is nooit eerder gelukt bij iemand boven de drieënveertig. Wel een spontane zwangerschap. Dus als we de natuur zijn gang laten gaan heb je meer kans. Daar komt bij dat jouw,' hij wijst op de vrouw, 'selectiesysteem beter is dan dat van ons. Dat is belangrijk omdat je genetisch materiaal beschadigd is.'

De vrouw krijgt nu tranen in haar ogen, ze loopt rood aan.

Nu weet hij dat de boodschap is aangekomen. 'Ik weet hoeveel verdriet je ervan hebt,' zegt hij, en hij somt op wat hij wél kan doen. 'Ik kan nog kijken of jullie transportsysteem echt goed werkt. Ik kan de eileiders nog een keer doorspoelen met een bepaalde olie, dat helpt soms iets. Bij de volgende keer gaan we kijken naar de eivoorraad. En snel aan de slag.' Maar hij eindigt met: 'Wij kunnen technisch niets doen. Het spijt me dat te zeggen.'

'Dat hoor ik nu pas,' zegt de vrouw opeens. 'Dat vind ik raar. Door de andere artsen ben ik op het verkeerde been gezet. Ik kwam vandaag met een heel ander idee.'

Bots: 'Het is heel verdrietig, maar ik kan het niet anders zeggen. Ik moet eerlijk zijn.'

Rood aangelopen verlaten ze de spreekkamer.

Als ze vertrokken zijn, zegt Bots: 'Die leeftijd blijft een heel moeilijk punt.' De meeste klinieken behandelen tot veertig, dat is volgens de richtlijnen. In Tilburg ligt de grens bij vierenveertig, vijfenveertig is het wettelijk maximum. 'Ik kan mensen die elkaar laat zijn tegengekomen, niet weigeren,' zegt Bots. 'Maar als ik ze boven de drieënveertig ga behandelen, dan belazer ik ze.'

Zijn strategie voor die groep: 'Je moet alles even nalopen en ze serieus nemen als stel,' vat Bots samen. 'Anders begrijpen ze het niet. Als we écht vinden dat behandelen zinloos is, zeggen we nooit: we stoppen. Dát moeten ze zelf doen, anders gaan ze op internet kijken en shoppen bij andere ziekenhuizen. Dan duurt het langer voor ze het accepteren. Uitleggen dus tot het kwartje valt.'

Hij zucht en zegt: 'Dit stel heeft nog één mogelijkheid: eiceldonatie, van een jongere zus of zo.' Die optie legt hij oudere stellen in deze fase vaak voor. Niet alleen om ze op deze mogelijkheid te wijzen, ook om de ernst van zijn verhaal kracht bij te zetten. 'Als ze dat horen,' zegt Bots, 'dan valt het kwartje echt.'

Bij deze vrouw aarzelde hij of hij over eiceldonatie zou beginnen. 'Moet je ze dat wel zeggen als ze boven de drieënveertig is en een baarmoeder vol vleesbomen heeft?'

Een lange blonde man loopt binnen met een zoontje. Het jongetje kruipt op de schoot van zijn vader. Hij sabbelt op zijn speentje. Dan volgt een vrouw met kort donker haar. Ze gaat zitten, zet haar tas op de grond en zegt: 'Zal ik uw geheugen opfrissen?'

Ze heeft een iui gehad, vertelt ze en daarna een ivf. Toen raakte ze spontaan zwanger. Ze wijst op de jongen met het speentje. 'Dat werd hij.'

Haar zoontje is nu tweeënhalf. Sinds zijn geboorte zijn ze aan het proberen weer zwanger te raken, maar er gebeurt niks. De vrouw is eenenveertig.

Bots vat samen: 'Toen heb je heel veel verdriet gehad, daarna veel geluk en nu weer een beetje verdriet.'

Maar de vrouw wil het niet horen. 'Ik raakte zwanger toen we een afspraak hadden voor een tweede ivf.'

De man wijst ter verduidelijking nog eens op het jongetje: 'Hij is niet van ivf.'

'We waren op vakantie,' vervolgt de vrouw, 'toen ik spontaan zwanger raakte. Dus ik denk dat het de hormonen zijn die ons geholpen hebben. Nu het weer niet lukt, wil ik graag weer die hormonen.'

Bots: 'Ik snap dat je dat denkt.'

'Ik ben hier niet voor ivf,' zegt de vrouw. 'Ik wil hormonen.'

'Met iui heb je dezelfde hormonen,' zegt Bots.

'Maar we hadden met iui de verkeerde dosis.'

Bots kijkt naar de computer: 'Er was toch iets met je aan de hand?'

'Ik had een cyste, die is nu weg.'

'Dat kan terugkomen. Ik wil kijken hoe het zit.'

Maar de vrouw wil niet dat er een echo gemaakt wordt. 'Die stok kan toch niet een zwangerschap afbreken?'

'Nee, natuurlijk niet,' zegt Bots. 'Anders zou ik hem niet gebruiken.'

Ze geeft toe en gaat liggen. 'Ik heb het gevoel dat er iets kan zitten. Het ruikt anders. Over twee dagen moet ik ongesteld worden.'

Er zitten geen cystes meer. De man repareert ondertussen de muis van de computer van Bots. Bots neemt weer plaats achter zijn bureau, wacht tot de vrouw terug is en begint te vertellen. 'Goed, de stand van zaken,' zegt hij. 'Je bent nu bijna tweeënveertig. Na je veertigste heb je twee tot vijf procent kans zwanger te raken. Je vraagt aan mij: doe wat. Maar dat kan ik niet. We kunnen je eileiders doorspuiten, dan heb je iets meer kans. Maar jouw leeftijd is het echte probleem. Dan hebben we straks prachtige eitjes en embryo's, maar dan willen ze niet innestelen vanwege de verminderde kwaliteit.'

'En alleen de hormonen?'

'Dat doet niks.'

De vrouw neemt er geen genoegen mee. 'Ik wil dezelfde hormonen als vorige keer.'

'Ik begrijp dat je dat denkt maar er is geen literatuur over,' vervolgt Bots. 'Echt niet.' Hij zegt dat ze altijd kunnen bellen voor een iui.

De man staat op en maakt aanstalten te vertrekken. De vrouw volgt hem. 'Aan de slag dus,' zegt Bots opgewekt. 'En nadenken. Jullie zijn altijd welkom.'

Als Bots door het dossier bladert van de volgende patiënte zucht hij diep: 'Dit is een zinloos verhaal. Tweeënveertig. Er is een test geweest, een "clomid challenge"-test, die de eivoorraad beoordeelt. De uitslag is net binnen. Maar die tests doen niet veel. De leeftijd zegt mij evenveel, hoewel de uitslag niet slecht is, ze heeft genoeg eitjes voor haar leeftijd. Nu heeft ze toch besloten ivf te doen, gezien de uitslag.'

Hij zoekt naar woorden. 'Het probleem... de oorzaak van haar verminderde vruchtbaarheid is gewoon die leeftijd. Ik heb ik weet niet hoe vaak tegen de artsen gezegd dat zoiets zinloos is. Waarom is er niet razendsnel naar die vrouw gekeken? O, valt mee, ze was hier twee maanden geleden voor het eerst. Waar komt ze nu voor? O, een echo om te kijken wanneer de eisprong is. We proberen hun vruchtbaarheidsvenster in kaart te brengen.'

De vrouw komt binnen. Ze is alleen. 'Mijn man was gisteren wel mee,' zegt ze verontschuldigend. 'Ik hoefde nu alleen voor een testje te komen.'

Bots maakt een echo. Links zit een flink eiblaasje en rechts een iets kleinere. 'Ze zijn nog niet gesprongen,' zegt Bots. 'We gaan door tot we dat met eigen ogen hebben gezien.'

De vrouw weet dat ze morgen dus wéér terug moet komen. Ze kleedt zich aan en gaat zitten, nietsvermoedend. Bots besluit terug te gaan naar het begin, zijn standaardvragen op haar af te vuren, iets wat eigenlijk al veel eerder in het proces had moeten gebeuren. 'Ik zal je uitleggen hoe het zit. Heb je onze website bekeken?'

De vrouw schudt nee.

'Kijk eens naar het hoofdstuk "De ouder wordende eierstok". Heb je ooit een uitlegformulier gekregen? Ja? Heb je het bij je? Nee? Dan maak ik nu een nieuwe.'

84

Hij graait achter zich en pakt een formulier uit het bomvolle rekje. 'Je bent tweeënveertig.' Hij trekt een nullijn. 'Ooit zwanger geweest?'

'Nee...,' zegt de vrouw aarzelend.

'Nog nooit,' zegt Bots en schrijft door. Hij wijst op de site op het schema waar het vruchtbaarheidsvenster van een paar op berekend wordt. 'Dat zijn we nu voor jullie aan het uitzoeken. Lees het na, dan weet je wat we hier uitspoken.'

De ogen van de vrouw schieten heen en weer. Ze kwam toch alleen voor een echo?

'Iedere vruchtbare periode is kostbaar,' zegt Bots. 'Dus je krijgt van mij een spoeling mee waardoor de zaadjes makkelijker door het slijm gaan. Het vermindert de zuurgraad wat. Het is een poeder dat je door een halve liter lauw water moet schudden en dan inbrengen met een vaginale irrigator. Zijn jullie avondvrijers? Gebruik die spoeling dan elke avond. Vanavond beginnen, dan zetten we deze vruchtbare periode ook nog in.'

De vrouw knikt nu enthousiast. Maar Bots is nog niet klaar. 'Er is een onoverkomelijk probleem en dat is je leeftijd.' Haar geestdrift daalt in één klap. Ze kijkt gelaten naar het schema van Bots. 'Ons testje liet zien dat je wel eitjes hebt, maar de kwaliteit is verminderd, het genetisch materiaal is gewoon verouderd. Heb je ooit gerookt?'

Ja, knikt ze.

'Dat kunnen we niet veranderen. Je bent bijna drieënveertig. Als straks blijkt dat de zaadjes moeilijk door jouw baarmoedermondslijm gaan, zouden we normaal gesproken ivf doen. Maar als ik dat doe, geef ik je valse hoop. We willen met je meedenken, maar alleen om je te laten voelen dat we je helpen. Zo'n behandeling brengt veel pijn en verdriet met zich mee.'

'Pijn en verdriet heb ik al gehad,' zegt ze stoer. 'Die periode is achter de rug. Ik ben heel rationeel.'

'Dat is goed,' zegt Bots. 'Dat zul je nodig hebben.'

Plotseling breekt ze. Ze brengt haar zakdoek naar haar neus. 'Nu vind ik het wel even heel moeilijk.'

'Dat is het ook,' zegt Bots en legt zijn hand even op haar schouder. 'Kom morgen bij mij terug.'

Als ze weg is, valt hij voor het eerst vandaag even stil.

'Tja,' mompelt hij. 'Op deze manier ben ik bezig haar zelf te laten beslissen om ermee te stoppen.'

12

De echo van Kris en Wendy

Een paar weken na hun intake met verpleegkundige Toos zijn Kris en Wendy terug in het ziekenhuis voor de eerste echo van deze ivf-poging. Het is nu begin januari, de feestdagen zijn voorbij. Alle feestjes hebben ze overleefd zonder over hun eerste ophanden zijnde ivf-poging te praten. Wendy is klaar met spuiten. Vandaag wordt gekeken of er genoeg eiblaasjes zijn aangemaakt om de punctie van volgende week uit te voeren. Ze nemen plaats in de wachtkamer van Gynaecologie. Het zit er bomvol. 'Zó,' zegt Kris, 'dat gaat wel effe duren.'

Wendy bladert door *Mijn geheim*, een van de tijdschriften van de leesportefeuille. 'Die zwangeren gaan altijd het snelst,' zegt Kris. 'Wij moeten het langst wachten.'

Wendy kijkt de wachtruimte rond. 'Van alle vrouwen zonder buik denk ik: zal wel ivf zijn.'

Een vrouw met een tuinbroek waggelt de spreekkamer in. Een ander stel loopt voorbij. Plotseling steekt de vrouw haar hand op. 'Hé!' roept ze. 'Hoi,' zegt Wendy en richt meteen haar blik weer op het tijdschrift. 'O ja,' zegt ze tegen Kris. 'Die is ook zwanger hè? Dat is nog geheim.' Ze had het al gehoord van de buurvrouw, die ook niet weet dat Wendy bezig is met ivf.

'Zo komen mensen het te weten,' zegt Kris. 'Dat hou je niet tegen.'

Het kan Wendy niet veel schelen. 'Dat krijg je in zo'n kleine stad.'

Kris voert bodemonderzoek uit. Hij is adviseur. Hij schrijft rapporten en doet planning. Zijn directe baas weet dat hij bezig is met ivf. Steeds als hij weg moet van zijn werk, moet hij langs het secretariaat. Die beginnen zo langzamerhand wel iets te vermoeden. Als hij wegloopt, vragen ze: waar ga je heen? 'Niks mee te maken, zeg ik dan.'

Kris haalt Wendy op en in een kwartier zijn ze in Tilburg. Hij heeft het erg te doen met patiënten die van verder moeten komen. Hij kan thuis zijn 'handeltje produceren', andere mannen moeten het doen in het kamertje bij het lab of op een parkeerplaats of op de wc. 'Moet ik allemaal niet aan denken.'

Hij gaat altijd mee. 'Je ziet ook veel vrouwen alleen zitten, dat vind ik niks.'

'Matthijssen!' klinkt het vanachter de balie.

De verpleegkundige neemt ze mee naar de behandelkamer. Wendy doet haar onderkleding uit en klimt op de stoel. De arts begint meteen met de echo en gaat op zoek naar de eierstokken. 'Rechts zit één blaasje,' mompelt ze. 'Die is goed gegroeid. Maar verder zit daar niks.' Wendy houdt haar blik strak op de monitor gericht. Als de andere eierstok na een maand stimuleren ook zo weinig heeft, wordt de hele behandeling afgebroken, weet ze. De arts kijkt nu met samengeknepen ogen. 'Ik zie meerdere blaasjes, maar ze zijn erg klein. Een, twee, drie, vier, vijf kleintjes, zie je ze? Maar ze doen nog niet echt mee.'

Wendy kleedt zich aan. Met de verpleegkundige buigt de arts zich over het patiëntendossier. De stilte duurt lang. Kris wrijft over zijn gezicht.

Als Wendy terug is, legt de arts uit: 'We hebben één eitje dat een goede spurt maakt en vijf die veel te klein zijn.' Het is nog relatief vroeg in de cyclus. De arts stelt voor de dagelijkse dosis Gonal F te verhogen, dat de groei van de eiblaasjes stimuleert. En dan maar kijken hoe de eicellen reageren.

Ze maken een afspraak voor een nieuwe echo op vrijdag. Dan moeten de eiblaasjes bijna rijp zijn. 'Wat ik voor wil zijn,' zegt de arts, 'is dat die ene knapt, terwijl die andere vijf nog niet rijp zijn. Daarom is vrijdag de beste dag om weer te gaan kijken.'

En als er dan maar één eitje rijp is en de andere vijf niet zijn meegegroeid? willen Kris en Wendy weten. 'Dan wordt het iui,' zegt ze. 'Op één eitje voeren we geen punctie uit. Je weet niet zeker of je die te pakken krijgt. En als je hem er al uit krijgt en hij wordt niet bevrucht, dan is het zonde van de poging geweest. We doen alleen ivf als je een échte kans hebt.'

Bij het afscheid waarschuwt de arts: 'Het wordt nog best spannend.'

Op de gang verzucht Kris: 'Goed, vrijdag dus wéér hierheen rijden. Je krijgt pas door hoe vaak je op en neer moet als je er middenin zit.'

Voor Wendy was het een anticlimax. 'Je hoopt dat ze meer zouden doen in één afspraak. Je wilt alles in een keer horen, maar dat gaat dus niet.'

Zwijgend rijden ze naar huis.

'Wat wil je vanavond eten?' vraagt Wendy ten slotte.

'Weet ik nog niet,' zegt Kris. 'Ik heb nog geen honger.'

'Ik wel,' mompelt Wendy en ze staart naar buiten.

Op vrijdagochtend zitten Wendy en Kris weer in de wachtkamer. Het is hun laatste echo, nu wordt duidelijk of ze door kunnen gaan met de behandeling. Zouden die vijf kleine eiblaasjes inmiddels gegroeid zijn?

De echo laat links nog steeds het ene gerijpte eiblaasje zien, stelt de arts vast. Er is dus geen eisprong geweest. 'En aan de andere kant?' vraagt Wendy ongeduldig. 'Hoe is het met die vijf kleintjes?'

De arts kijkt ingespannen naar de monitor. Ze telt er inderdaad vijf. Maar ze zijn te klein. 'Ze zijn niet meegekomen, helaas. Kleed je maar aan, dan ga ik nadenken wat we gaan doen.'

Als Wendy en Kris klaarzitten, zegt ze: 'Lastig hè? Had je er al rekening mee gehouden?'

'Ja,' zegt Wendy, 'ik had al zo'n idee.'

'Die echo liegt er niet om,' zegt de arts.

Om toch dat ene eiblaasje dat wél klaarstaat niet verloren te laten gaan besluiten ze een iui uit te voeren: op de dag van de eisprong spuiten ze de beste tien procent van het zaad van Kris diep de baarmoeder in. De kans op een zwangerschap is daarmee vijftien procent, zo'n tien procent minder dan bij ivf, maar het is tenminste iets. Wendy heeft dan niet een maand voor niets gespoten.

Bij het afscheid zegt de arts: 'Jammer hè? Ik had het je graag gegeven, maar met één eitje vind ik het gewoon zonde van de poging.'

Op weg naar buiten lopen ze langs de kraamafdeling en neonatologie, over pleintjes met speelgoed en klimrekjes. In de gang van verloskunde zit een familie rondom een tafel vol thermoskannen en koffiekopjes. Ze wachten op nieuws uit de verloskamers.

'Ik vind het zo jammer,' zegt Wendy.

'Er is niks aan de hand,' zegt Kris.

'Ik wist wel dat er nu niet opeens zes gerijpte eitjes zouden zijn, maar als je elke dag om zeven uur opstaat om te spuiten dan ben je wel teleurgesteld als het voor niks was.'

'Het is niet voor niks,' zegt Kris. 'Je krijgt nu iui.'

'Ik had mijn zinnen op ivf gezet,' zegt ze koppig.

Kris loopt geroutineerd door de lange gangen, hand in de achterzak van zijn spijkerbroek. Wendy sjokt er achteraan.

Bij de uitgang zegt ze: 'Ik weet dat ik nog kansen heb, maar als kind fantaseerde ik al over een groot gezin met veel kinderen. Bij elke teleurstelling groeit het gevoel dat ze misschien niet zullen komen. En daar moet ik echt niet aan denken.'

13

Mario en Jolanda willen een tweede kind

Vlak voor Mario (35) en Jolanda (31) de spreekkamer binnenlopen bekijkt Rob Bots hun gegevens. Een brede grijns verschijnt op zijn gezicht. 'Deze vrouw heeft twee keer icsi gehad. De laatste behandeling was in 2004. Meer zeg ik niet.'

Het stel gaat opgetogen tegenover hem zitten. De vrouw legt een fotoalbumpje op tafel. Bots begint er gretig in te bladeren. Femke heet hun dochter, ze is een jaar oud. Het embryo waar zij uit voort is gekomen, ontstond met hulp van dokter Bots en het lab, door icsi: de techniek waarbij een enkel zaadje in de eicel geïnjecteerd wordt. Nu willen ze nog een kind. Bots klapt het album dicht en zegt: 'Wat een vreugde geeft zo'n kindje hè? Is je verdriet nu verdwenen?'

'Het is dubbel,' zegt Jolanda. 'Het blijft een moeilijk idee dat we niet zonder het ziekenhuis zwanger kunnen raken.'

Dan valt Bots met de deur in huis: 'We hebben hier nog een verrassing voor jullie liggen.'

'Ja,' zegt Jolanda, 'in de vriezer.'

'Gek idee hè?' zegt Bots. 'We hebben nog twee rietjes met heel veel broertjes en zusjes voor Femke.'

'Maar we hebben iets minder kans, toch?' vraagt Jolanda.

'Embryo's zijn kansen,' roept Bots. Mario begint nu ook te lachen. 'We kunnen ze gewoon bij een spontane cyclus terugplaatsen. Bij de volgende menstruatie kunnen jullie bellen voor een afspraak.'

Opgewonden nemen Mario en Jolanda afscheid.

Een paar dagen na hun afspraak met Rob Bots zitten Mario en Jolanda om de grenen koffietafel van hun huis in Roosendaal. In de hoek van de krappe woonkamer blèrt de dwergpapegaai tegen hond Anoushka. Femke inspecteert de inhoud van de tas van het bezoek. Overal in de woonkamer is Mickey Mouse aanwezig. Aan de muur een schilderij, in de vitrine beeldjes en de telefoon is een groot plastic gevaarte in de vorm van de muis met de ronde oortjes, Jolanda's hobby.

Op deze koude wintermorgen vertellen ze hoe ze elkaar hebben leren kennen. Het was in discotheek High Street, net over de Belgische grens, waar Jolanda en haar vriendin Patricia regelmatig gingen stappen. Het was net uit met hun vorige verkering. Ze raakten aan de praat met 'de twee mannen uit Zundert', zoals ze al snel zouden heten. Patricia kreeg verkering met de ene en zo leerde Jolanda de andere steeds beter kennen. Op een dag mocht ze zijn auto lenen. 'Dat was een hele eer,' zegt Jolanda, want dat autootje, daar was hij zuinig op.

Op een zaterdagavond gingen Mario en Jolanda naar de bioscoop. Maar het was pas goed raak toen ze een week later naar Scheveningen gingen. Ze hadden er afgesproken met Patricia en haar vriend, die andere man uit Zundert. Het was een warme dag, het strand lag vol. 'Probeer dan maar eens iemand te vinden,' zegt Mario. Dat lukte niet, dus besloten ze samen op een terrasje te gaan zitten. Mario, vrolijk: 'En 's avonds naar de Griek in Roosendaal.'

Jolanda: 'We kregen geen hap door onze keel.'

Ze hadden een voorzichtige start, Jolanda kwam uit een heel ongelukkige relatie, Mario woonde nog in Zundert. Het duurde even voor ze echt veel samen waren. Na twee jaar kochten ze dit huis. Toen ze in februari een weekje naar Gran Canaria gingen, vroeg Mario Jolanda ten huwelijk, op Valentijnsdag. 'Ik op de kamer op de knieën!' lacht Mario. 'En ze zei nog ja ook.'

Zes jaar geleden zijn ze getrouwd, in vol ornaat. Op de foto die op de kast staat zijn ze nog een paar kilo's lichter, ze strálen. Maar nu zegt Jolanda: 'Da's allemaal lang geleden hoor.'

Een jaar na het trouwen stopte Jolanda met de pil. Ze hadden bewust geen haast gemaakt met kinderen. Toen ze het huis kochten, dachten ze: eerst nog een paar jaar wachten. 'Lekker genieten,' zegt Mario. 'Hondje erbij.'

Niet dat ze nou grootse plannen hadden. Ze wilden geen carrière opbouwen of verre reizen maken. Mario werkte als elektromonteur en Jolanda vier dagen in de week bij de Albert Heijn, als afdelingschef. Ze gebruikten die periode vooral om te sparen. Ze hadden het huis al een beetje op de toekomst uitgezocht, met een tuintje en boven drie slaapkamers. Het lag vlak bij een school. Die doorgaande weg was wel een beetje druk, maar de stoep was er breed en er was veel groen in de buurt. Zonder twijfel een fijne plek om kinderen groot te brengen.

Na hun trouwen waren ze er langzaamaan klaar voor. Jolanda was zesentwintig, iedereen om haar heen begon kinderen te krijgen, maar bij haar gebeurde er niks. Een kennis had hetzelfde. Ze pepten elkaar op. 'Het komt heus goed,' zeiden ze tegen elkaar.

Na tien maanden raakte Jolanda gefrustreerd en ging ze naar de huisarts. Die vond dat ze onderzocht moesten worden door het ziekenhuis in Roosendaal. Bij Jolanda was alles in orde, haar baarmoeder, hormonen, de eisprong – het leek allemaal te werken. Maar met het zaad van Mario was het goed mis. 'Ik had negenennegentig verschillende modellen. Het was van slechte kwaliteit – misvormd.'

Jolanda was op haar werk bij Albert Heijn toen ze naar het ziekenhuis belde voor de uitslag. '"Een momentje," zeiden ze, "ik geef u de dokter even." Dan weet je dat er iets goed fout is,' zegt Jolanda nu.

De arts vertelde kort dat het zaad niet in orde was en nodigde hen meteen uit voor een gesprek. 'Alles zakt onder je voeten vandaan als je dat hoort. Je hele toekomst lijkt in één keer weg.' Haar baas stond er naast toen ze het hoorde, hij heeft haar getroost. Sindsdien leeft hij mee. Als ze naar het ziekenhuis moet, krijgt ze altijd vrij van hem.

Na het gesprek met de arts bleek dat Mario en Jolanda alleen met behulp van het lab in Tilburg kinderen konden krijgen. Het rommelige zaad van Mario zou nooit de weg naar de eicellen van Jolanda weten te vinden. Icsi zou voor hen de enige optie zijn. Daarmee zouden ze een goede kans hebben om zwanger te raken: zo'n twintig procent per keer, net zo veel als in de natuur. Echt gerust was Jolanda er niet op. 'Je denkt: het moet bij ons dus allemaal via het ziekenhuis? Waarom niet gewoon? En: wat als het niet lukt?'

Toen begon het lange wachten. In februari kregen ze het advies naar Tilburg te gaan, in juli zaten ze er voor het eerst tegenover dokter Bots. In oktober begonnen ze met medicijnen, in december hadden ze hun eerste punctie, bijna een jaar na de onheilstijding. De tijd verdreef Jolanda met kennis verzamelen: heel veel boeken lezen.

Stijf van de zenuwen begon ze aan haar eerste icsi-poging. De eerste punctie leverde acht rijpe eicellen op. Na acht icsi-injecties en een nachtje slapen waren er maar drie embryo's. Er zijn er twee teruggeplaatst. 'Je mocht toen nog kiezen,' zegt Jolanda. 'We dachten: doe dan maar twee, dan hebben we meer kans.' Het derde embryo hebben ze laten vernietigen.

Na de terugplaatsing moest ze vijftien dagen Progestan-tabletten inbrengen, zwangerschapshormonen die het lichaam helpen bij de innesteling. Die dagen zijn het zwaarst, vindt Jolanda. 'De medicijnen houden je echt voor de gek. Vijftien dagen lang heb je het gevoel dat je zwanger bent.'

De dag voor Kerst stopte ze met Progestan. Eerste Kerstdag waren ze bij Jolanda's ouders thuis. Mario en haar zwager waren boven computerspelletjes aan het spelen, Jolanda en haar moeder lagen voor de tv te zappen. Het was half vier 's middags toen ze naar de wc moest. Daar vond ze een heel klein beetje bloed in haar onderbroek. Haar moeder zei nog: dat kan de innesteling zijn, maar Jolanda wist meteen dat het niet goed zat.

'Nou, ik kreeg de friet niet meer naar binnen hoor,' zegt Jolanda. Ze riepen Mario van boven en hebben met z'n vijven de hele middag zitten huilen.

De volgende dag heeft ze thuis meteen de kerstboom afgetuigd. Die avond bij haar schoonmoeder kreeg ze ook geen hap naar binnen bij het gourmetten. Mario: 'Alle gezelligheid is dan wel verdwenen.'

Na de Kerst ('de dertigste' zegt ze nu nog uit haar hoofd), moest Jolanda bloed prikken in het ziekenhuis. 'Ik wist natuurlijk al dat ik niet zwanger was, maar ze willen het toch voor alle zekerheid.' Ze maakten daar meteen een afspraak voor de evaluatie en om nieuwe plannen te maken. 'Dat was wel goed, een maandje ertussen. Even rust.'

Het gesprek ging kort over wat er mislukt is, maar vooral over dat ze meteen weer gingen beginnen. Je moet een keer ongesteld zijn geweest, dan kan je weer aan de slag.

Bij de tweede punctie was de score beter dan bij de eerste: veertien eiblaasjes. Dat kwam door de verhoogde dosis Gonal F. Van de keer ervoor wisten ze hoe Jolanda reageerde op de hoeveelheid en konden ze die iets verhogen. Van de veertien eicellen die in het lab zijn geïnjecteerd waren er twee dagen later acht over die zich hadden ontwikkeld tot goede embryo's. Zes gingen er in de vriezer, twee werden bij Jolanda teruggeplaatst. 'Nou en toen kwam zij,' zegt Jolanda, wijzend op Femke, die ondeugend met een vinger in haar mond tegen haar moeder aanleunt.

Een dag voor ze de bloedprik zou krijgen, zei haar moeder tegen haar: je stráált, je bent vast zwanger. Ze is vast een zwangerschapstest gaan doen. Haar zus en moeder hebben 'm uitgevoerd, zelf durfde ze niet. En ja hoor, ze was zwanger.

'Nou, toen zijn we met z'n allen gaan huílen!'

Pas bij de negenwekenecho dacht Jolanda: nu is het oké. Maar Mario zei: ik geloof het pas als ik haar in mijn handen heb.

Die Kerst was ze hoogzwanger. Op 1 januari werd Femke geboren. Het is in twee keer gelukt. 'Best snel,' zegt ze opgewekt, 'als je erop terugkijkt dan.'

Bij de terugplaatsing van de embryo's maakten ze een echo. Daar stonden twee witte stipjes op. Toen ze opstond, had ze een heel raar gevoel. 'We liepen naar buiten en toen vroeg ik me af: zijn we nu met z'n tweeën, drieën of vieren? Dat was alleen de eerste keer, hoor. Daarna werd ik voorzichtiger.'

Ze denkt nog weleens aan dat andere witte stipje. Dat heeft het niet overleefd. 'Bij de zes weken echo zag ik nog maar één hartje kloppen,' zegt ze. Van het andere stipje was alleen een leeg vruchtzakje over.

Nu, op een half uur rijden hier vandaan, liggen er in een vat met stikstof zes embryo's op ze te wachten, tweelingbroertjes en -zusjes van Femke. Kant-en-klaar zijn ze. Die terugplaatsen kan in het geval van Jolanda op de 'natuurlijke cyclus', dat betekent dat er géén hormonen hoeven te worden gespoten en er géén punctie hoeft te worden verricht om de eicellen op te halen. Een enorm voordeel, want van de hormonen wordt Jolanda chagrijnig en de punctie vond ze pijnlijker dan de bevalling. De bevroren embryo's hoeven nu alleen maar in Jolanda's baarmoeder worden ingebracht. Ze worden ontdooid in twee porties van drie, want zo zijn ze destijds ingevroren. Ze hebben nu dus twee 'gratis' pogingen, met elk een kans van tien procent om zwanger te raken, want cryo's zijn minder goed van kwaliteit dan verse embryo's.

'Een kindje uit de vriezer voelt een béétje raar,' erkent Jolanda. 'Maar we pakken alles wat we pakken kunnen.'

Femke staat tegen de stoelleuning. Ze loopt rood aan. 'Ben je aan het poepen?' vraagt haar moeder. De geur verspreidt zich door de kamer. Jolanda staat op en verschoont Femke op de keukentafel. Mario giechelt. Femke giechelt terug, met bijna dezelfde lach.

'Je krijgt weleens te horen,' zegt hij, 'dat je het helemaal niet aan haar ziet, dat ze van icsi is. Alsof je dat zou kunnen zien!'

Femke is blond, haar ouders zijn donker. 'Als mensen daar grapjes over maken,' zegt Jolanda, 'en vragen: is ze echt van jullie? Dan kan ik dat niet goed hebben.'

Het wordt middag in de doorzonwoning in Roosendaal. Femke moet eten. Mario tilt haar in de houten kinderstoel. Jolanda voert haar kleine stukjes brood met hagelslag. Ze kijkt Mario aan en zegt: 'We hebben er wel weer zin hè?'

Mario knikt vrolijk.

'Het gaat natuurlijk allemaal weer heel zwaar worden,' zegt Jolanda. 'Maar het is ook iets waar je naartoe groeit. Echt een project.'

Ze hadden met elkaar afgesproken dat ze met de tweede zouden beginnen als Femke een jaar oud is. In september belden ze het ziekenhuis voor een afspraak, in december zaten ze er weer. Maar het voelt nu wel anders. 'Femke is geboren,' zegt Jolanda. 'Je ziet het wondertje en je vergeet de hele geschiedenis.'

En toch, zegt ze, tóch wordt ze altijd een beetje kwaad om die suggestie: 'Toen ze er net was zeiden mensen:

wat er ook gebeurt, die is er. Zo van: nu is het goed. Maar ik denk dan: jullie willen óók allemaal een tweede. Ik ook.'

De buren beginnen ook al te vragen of er nog een komt. 'Iedereen met een kind van Femkes leeftijd is nu zwanger van de tweede.' Die druk van de buitenwereld vindt Jolanda zwaar. 'Als je er een hebt, zeggen ze hier: da's wel alleen. Heb je er drie dan zeggen ze: ongelukje? Iedereen vindt twee perfect.'

14

De uroloog

Als de oorzaak van de vruchtbaarheidsproblemen van een stel bij de man ligt, zoals bij ongeveer een kwart het geval is, kan het probleem eenvoudig omzeild worden door icsi toe te passen. De vrouw ondergaat dan dezelfde zware behandeling als bij ivf, alleen is de techniek in het lab anders. Aan de oorzaak – slecht sperma – wordt dan verder niets gedaan. 'Iedereen stort zich op die vrouw,' zegt uroloog Herman van Roijen, geheel in de geest van Rob Bots. Van Roijen ergert zich daaraan. 'Ik vind dat ik mijn werk goed heb gedaan als ik een behandeling bij haar kan voorkomen.' Maar veel kan hij niet doen om de zaadproductie weer goed te krijgen. 'Het is echt nog een verwaarloosd gebied.'

Als patiënten bij Van Roijen komen, hebben ze de eerste schrik al achter de rug. De huisarts of gynaecoloog heeft al geconstateerd dat er 'iets' met het zaad is. 'Dat is vaak wel een schok,' zegt Van Roijen. 'Ze komen naar mij om uit te zoeken wat er precies aan de hand is.'

In de helft van de gevallen komt hij daar niet achter. Die mannen hebben gewoon slecht zaad door een combinatie van genetische pech, een gebied waar nog maar heel weinig over bekend is. Soms leven ze ongezond, roken en drinken ze. Als ze daarmee ophouden is hun voorraad binnen drie maanden weer op orde.

Maar héél soms, legt Van Roijen uit, vindt hij wel iets. Een spatader in de balzak bijvoorbeeld, waardoor de afvoer van het bloed niet goed werkt. Dat lijkt op een te strakke onderbroek en veel zitten te wijzen, waar Rob Bots zo op hamert in zijn spreekkamer, waardoor het koelingsysteem niet optimaal werkt. 'Er is,' zegt Van Roijen, 'onder gynaecologen een grote discussie of dat ertoe doet of niet. Wij houden het erop dat als je zaad goed is en de vrouw vruchtbaar, het geen enkel probleem is om strakke onderbroeken te dragen. Maar áls je matig zwemmend zaad hebt, kan het helpen om iets aan die koeling te doen.'

Dan zijn er nog zaadleiders die niet of niet goed zijn aangelegd. Via icsi kunnen die mannen toch kinderen krijgen, maar als ze zonen krijgen, kunnen die ook onvruchtbaar zijn, ook al gaat dat om een klein percentage. 'Daar moet je bij stilstaan,' vindt Van Roijen. Maar niet te lang, want het gaat om heel kleine aantallen mannen. De oudste icsi-kinderen zijn nu tieners, die hebben zich nog niet voortgeplant.

Als het zaad er om wat voor een reden dan ook niet uit wil komen, is het mogelijk om de zaadcellen te gaan halen met een operatie aan de bijbal. Mesa pesa heet dat. Dat mag in Nederland omdat het rijpe zaadjes zijn. Tilburg is een van de weinige niet-academische ziekenhuizen met een mesa pesa-vergunning.

Een stap verder is tesa, daarmee halen ze zaad uit weefsel in de bal. Die zaadjes zijn nog in ontwikkeling. 'We weten niet wat voor gevolgen dat heeft,' zegt van Roijen. 'Nederland is het enige land ter wereld dat zegt: doe nog maar niet.' De resultaten tot nu toe zijn gunstig, vindt hij, dus stuurt hij mensen naar Düsseldorf voor die operatie. Daar wordt het zaad ingevroren en opgeslagen. Bij een icsi wordt het naar Tilburg vervoerd en daar verder behandeld.

Probleem bij icsi blijft dat de vrouw, met wie niets mis is, behandeld moet worden. Zíj moet de hormonen spuiten, dezelfde als voorafgaand aan een ivf. Zíj moet de punctie ondergaan. Háár eicellen moeten in het lab behandeld worden. Daarom komen mannen bijna nooit terecht bij een androloog-uroloog: ook zonder die specialist is het probleem oplosbaar. Daarom blijft het een grotendeels onontwikkeld gebied.

'Onvruchtbaarheid is iets wat bij een man bijna nooit voorkomt,' zegt Van Roijen. 'Eén zaadje is immers genoeg.'

15

Het einde van het spreekuur

Aan het einde van de ochtend loopt er een bedrukt stel binnen bij Rob Bots.

Ze hebben één icsi-poging achter de rug. Het zaad van de man (34) wordt wel aangemaakt, maar komt er niet uit. Hij is aangewezen op tesa. Ze zijn net terug uit Düsseldorf, waar de artsen zaad uit de bijbal hebben gehaald.

Maar nu die factor is opgelost, lijkt de vrouw (32) ervan overtuigd dat er met haar iets is.

'Bij de laatste terugplaatsing had ik een raar gevoel in mijn buik,' zegt ze. 'Het werd steeds erger. Dat heb ik in Düsseldorf aan de arts voorgelegd.'

De aandacht van Bots verscherpt.

De vrouw praat door. 'Het verhaal is nu,' zegt ze stellig, 'dat de linker eileider niet lekker voelt. Er kwam vocht vrij in de baarmoeder tijdens het innestelen. De andere arts zei dat dit komt door een defecte eileider. Ik heb dun baarmoedermondslijm.'

Ze denkt dat daardoor de vorige poging mislukt is. Maar Bots zegt: 'Dat zegt niet zo veel. Een goed embryo kan zelfs buiten de baarmoeder groeien. Maar als het inderdaad iets is met de eileider, als daar vocht uit komt, dan kunnen we die clippen.'

De vrouw lijkt vastberaden om Bots op een ander spoor

te brengen, met hulp van de andere arts. Waarom is niet duidelijk. 'Die andere arts dacht dat het raadzaam was in de baarmoeder te kijken. Of de eileider te verwijderen.'

'Of clippen,' suggereert Bots nog eens.

De vrouw neemt geen genoegen met de uitleg van Bots. 'Mijn slijmvlies is wel héél dun. Er is vast een innestelingsprobleem.' Ze haalt een rits echo's te voorschijn die de arts in Düsseldorf van haar baarmoeder maakte. Haar man zit er ondertussen zwijgend naast. 'Uit die eileider komt veel vocht, ziet u? De arts zei nog: laat dokter Bots me bellen, dan leg ik het hem uit.'

Bots geeft geen krimp. Vrolijk zegt hij: 'Ik ga hem deze week nog bellen. Een zéér gewaardeerde collega! Ik ken hem al twintig jaar en we zitten altijd op dezelfde golflengte.'

De vrouw blijft volhouden. 'Ik denk dat er een operatie nodig is. Wanneer kan dat?'

'Zo snel mogelijk,' zegt Bots. 'Maar ik ga eerst onderzoeken of het nodig is, het moet wel rationeel zijn. Kom volgende week terug.'

Terwijl hij zijn kamer klaarmaakt voor de volgende patiënt, verklaart hij het wat raadselachtige gedrag van de vrouw: 'Het komt voor dat patiënten artsen tegen elkaar uitspelen. Dan zeggen ze dat de arts in het vorige ziekenhuis heel wat anders zei. Meestal komt dat doordat het niet goed is doorgedrongen. Men verliest zich in de details, ik probeer terug te gaan naar de helikopterview.'

Goed uitleggen, wil hij daarmee maar weer eens zeggen.

De laatste patiënten van vandaag zijn een stel dat zes keer iui heeft gehad in een ander ziekenhuis. Ze hebben een postcoïtumtest gehad die positief was. De zaadjes kunnen dus goed overleven in het baarmoedermondslijm. 'Waarom dan iui?' zegt Bots. 'Dat begrijp ik niet.' Ze komen vandaag voor ivf. Op zich is dat een logische stap. Bij onbegrepen vruchtbaarheid proberen veel ziekenhuizen eerst drie tot zes keer iui. Lukt ook dat niet, dan is er genoeg reden om aan ivf te denken. Deze mensen komen van een ziekenhuis dat geen eigen ivf-lab heeft, dus belanden ze nu in de handen van Rob Bots.

'Ik ga eerst de zaak eens op een rijtje zetten,' zegt Bots. 'Geen idee wat hier aan de hand is.'

Twee blozende dertigers komen binnen. Zij is bijna vijfendertig. Ze hebben samen een horecabedrijf. Drie jaar geleden stopte ze met de pil. Bij de vraag of ze ooit een geslachtsziekte heeft gehad, schiet ze in de lach. 'Nee,' zegt ze. 'Natuurlijk niet.'

Ook bij de vraag of deze café-eigenaren weleens alcohol drinken, worden ze een beetje lacherig. 'Ja, weleens als je weggaat,' zegt hij. 'Maar verder eigenlijk nooit.' Hij drinkt drie keer per week een biertje bij het afsluiten van de zaak.

Voor vrijen hebben ze niet zo veel tijd, bekennen ze. Twee keer per week is wel wat veel gevraagd. Ze houden het op 'een paar keer per maand'. 'Krijg je als je samen een bedrijf hebt,' lacht de vrouw. 'Dan gaat de frequentie wat omlaag.'

Bots onderzoekt het stel en vraagt ze nog een keer: 'In het andere ziekenhuis is geen oorzaak gevonden voor jullie verminderde vruchtbaarheid?'

Nee, schudden ze. Niet dat ze weten.

'Goed, samenvattend,' zegt Bots. 'Een paar, primaire subfertiliteit. Maart 2003 met pil gestopt, vrouw 34,8 jaar, man vierendertig jaar. Zes keer iui gehad. Dat is alles wat we weten.'

Bots begint zijn verdrietverhaal af te steken, het moment waarop bijna alle vrouwen even een traan weg vegen. Maar deze vrouw zegt: 'Nou, valt wel mee hoor, met dat verdriet.'

Dan gaat hij door. 'Je eierstokreserve is al aan het dalen en ik zou wel iets meer willen weten over jullie samenleving, maar verder kan ik weinig vinden.'

Hij schuift ze hun formulier met de staafdiagrammen toe. 'Dit is jullie dobbelsteen. Die ziet er goed uit. Je leeftijd begint een rol te spelen. Dus ik zou zonder meer aan ivf beginnen, maar ik zou het veel leuker vinden als jullie spontaan zwanger raken. Ik kan jullie adviseren om ondanks alle drukte iets meer tijd voor elkaar te maken in de vruchtbare periode. En we zouden een keer in je buik kunnen kijken.'

'Doet dat pijn?' vraagt de vrouw.

'Nee,' belooft Bots, 'niet zo erg als röntgen. Maar laten we eerst doen waar we voor kwamen. Zullen we in september beginnen?'

'We gaan eind september op vakantie,' zegt de man.

'Oké, dan doen we het na de vakantie,' beslist Bots. 'Dan begin je met de pil in de vakantie.'

'Ja!' protesteert de man. 'Hebben we eindelijk tijd, slikt ze de pil!'

'Je hebt he-le-maal gelijk,' zegt Bots serieus. 'Doen we de korte versie, zonder pil.'

'Krijgt ze weer van dat spul waar ze zo humeurig van werd?' wil de man nog weten.

'Ja,' zegt Bots. 'Verder nog vragen?'

'Mag ik op de trilplaat?' vraagt de vrouw. 'Ja,' zegt Bots, 'dat mag.'

16

Steven en Mirjams slechtnieuwsgesprek

In de zomer zaten Steven en Mirjam weer bij Rob Bots in de spreekkamer om de situatie na haar operatie te evalueren. Het seizoen van de confectiebeurzen was weer achter de rug. De bouw van het huisje aan de dijk was begonnen. Nu begon Mirjam zich geestelijk in te stellen op ivf. Ze dacht dat ze het daar nu over zouden hebben. Het was geen opbeurend gesprek.

Ze was hersteld van de operatie waarbij de rechter eierstok was weggehaald. Het zaad, de samenlevingstest, het vruchtbaarheidsvenster – het was allemaal gecontroleerd. Ze is twaalf uur per maand vruchtbaar, volgens het vruchtbaarheidsvenster van Rob Bots. Dat is niet zo lang, maar ze weet wel precies wanneer. Als ze elke vruchtbare dag spoelt met een natriumcarbonaatspoeling is dat misschien iets meer. Verder is het met één eierstok goed mogelijk om zwanger te raken. Maar haar verjaardag was inmiddels geweest, ze is nu tweeënveertig.

Ze hadden eerder dat jaar met Bots afgesproken met een na de operatie op twee methodes te wedden: de natuurlijke en ivf. Maar nu zei hij: 'Jullie zijn helemaal in orde. Met ivf heb je niet meer kans. Dat kan je wel willen, maar het is niet zo.'

'Bij de eerste afspraak zei hij ook zoiets,' herinnert Mirjam zich thuis. 'Maar niet zo duidelijk.'

Voor de kijkoperatie waren Mirjams eileiders doorgespoeld, met Lipiodol. Door dat doorspoelen met Lipiodol, een röntgencontrastolie, glijdt de eicel gedurende een paar maanden iets makkelijker door het baarmoedermondslijm. Bots adviseerde Mirjam er een vaginale spoeling naast te gebruiken, op de vruchtbare dagen. Daarmee zouden eventuele barrières weg zijn.

Steven: 'Bots zei: jullie maken meer kans in de natuur.' En hij legde uit dat ivf echt heel zwaar is.

'Hij is wel heel eerlijk,' zegt Mirjam. 'Het was een flinke klap toen hij het zo zei.'

'Echt bot,' beaamt Steven. 'Maar ik hou er wel van.'

Daar, in de spreekkamer, besloten ze niet aan ivf te beginnen.

'Verstandige keuze,' had Bots gezegd. 'Ik zou het ook zo doen.'

Binnen vijf minuten stonden ze weer buiten, ditmaal met lege handen.

'Hij sluit het niet helemaal uit,' weegt Mirjam haar woorden. 'Maar als het gebeurt is het een gelukje. Zo is het toch hè?'

Ja, knikt Steven, zo is het.

Mirjam schenkt nog een glas wijn in. Ze heeft het een half jaar volgehouden, niet drinken. En dat is nogal een prestatie in de modewereld. 'Ik dronk elke dag twee wijntjes hè?' Ze moest steeds een smoesje verzinnen voor vrienden en collega's. Antibioticakuurtje, pijnstillers – van alles. Tot haar omgeving begon te denken dat ze zwanger was. Moest ze dát weer ontkrachten. 'Op modebeurzen wordt altijd flink gedronken. Je kan het best houden op één glas, dat vindt niemand raar. Maar nul? Dan krijg je steeds weer die vragen.'

Zelfs na het slechtnieuwsgesprek met Bots dronk ze een tijdje niet meer. Nu drinkt ze weer gewoon zoals vroeger. 'Opeens dacht ik: waarom doe ik dit eigenlijk? Ik word toch niet zwanger. Ik had niet het idee dat het werkte. Ik werd er een beetje tegendraads van. Ik dacht: mensen die op natuurlijke wijze gewoon zwanger worden, drinken toch ook weleens een wijntje? Bij hen lukt het toch ook?' Ze neemt een slok uit haar glas. 'Ik heb het heel lang volgehouden, maar misschien niet lang genoeg. Wie weet.'

De effecten van de doorspoeling van haar eileiders zijn uitgewerkt. De vaginale spoeling gebruikt ze nog wel tijdens haar vruchtbare dagen. In het begin liet ze geen kans voorbijgaan. Elke maand, aan het begin van haar cyclus, schrijft ze met een pen op elke dag het cijfertje van haar cyclus. Dag 1, dag 2, dag 3. En op dag 14 staat er een streepje onder het nummer.

Steven lacht en trekt zijn mondhoeken naar beneden: 'Ik kwam weleens om drie uur thuis en dan dacht ik: poe!'

Nu is ze er wat rustiger over. 'We slaan weleens over,' zegt Mirjam. 'Soms hebben we het zo druk dat we een periode missen.'

Volgende maand moet ze weer veel op reis, dan hebben ze toch geen tijd voor elkaar. Daarna wil ze terug naar Rob Bots om te vragen of hij haar wil doorspoelen, om nog één keer een half jaar iets vruchtbaarder te zijn. Dat spoelen blijft ze dan ook doen. 'Daar laten we het dan bij,' zegt Mirjam. 'Meer kunnen we niet doen.'

Steven pakt zijn sportspullen, Mirjam zit op de bank. Ze ziet er heus de voordelen wel van in, zegt ze, om géén kind te hebben. Als ze vrij hebben, stappen ze nu meteen in het vliegtuig voor een zonvakantie. In het voorjaar een weekje naar Egypte, deze zomer twee weken Costa Rica. 'We hebben zo'n vrij leven. Met een kind moet je thuiszitten. Dat is een keuze die je dan maakt.'

Steven: 'Dat doen we dan toch gewoon?'

'Jaah,' zegt Mirjam voorzichtig. 'Maar als ik dan vijf dagen naar China moet voor mijn werk, dat kan niet meer als er een kind is.'

'Het kan wel,' roept Steven vanuit de keuken. 'Maar dan moet er écht iets geregeld worden. Dat heb je er dan voor over.'

Hij komt nog even naast Mirjam op de bank zitten. 'Soms zie ik kindjes,' zegt ze, 'en dan denk ik: o, wat zou dat fijn zijn! Een bekroning van onze relatie.'

'Ja,' beaamt Steven. 'Dat zou fijn zijn hè?'

'Voor jou zou het echt heel jammer zijn als het niet lukt.' Ze kijkt hem moederlijk aan.

'Ja,' zegt Steven zonder enige terughoudendheid. 'Ik ben een echte kindervriend.'

Op een middag loopt Mirjam een grand café in Den Bosch binnen. Ze bestelt een Bossche Bol. Als ze spreekt over kinderen in Stevens bijzijn, lijkt ze zich groot te houden. Ze is bezorgd over wat het met Steven doet. Nu, in dit café, laat ze haar harnas een beetje zakken.

Vandaag is ze ongesteld geworden, vertelt ze plotseling. Ze was vijf dagen over tijd – en dat komt nooit voor. 'Túúrlijk, ik was heel druk, dus het was wel logisch. Maar ik was ook misselijk, heb ik nooit eerder gehad. Ik voelde me echt anders. Ik dacht: jeetje mina zeg.'

Ze wachtte met het aan Steven te vertellen. Vier dagen

lang hield ze haar mond. Vandaag had ze een test willen kopen, toen werd ze ongesteld. 'Ik zeg steeds tegen mezelf: stel je er nou op in dat het niet meer komt. Maar dan gebeurt dit.'

Het is niet iets waar ze veel over spreekt met vriendinnen, zegt ze. 'Ik ben niet in behandeling, ik denk dat het daardoor komt.' Maar haar moeder van begin zeventig is er wel erg mee bezig, merkt ze. 'Ze weet precies wanneer ik ongesteld moet worden, ze houdt het bij. Ik vertel haar alles, maar het is geen gesprek van de dag.'

Als vreemden vragen 'hoe het nou zit', zegt ze: ik wil best kinderen, maar ik weet niet of het er nog van komt. Na de verhuizing, zegt ze, nee, dáárna, na de beurzen, dán gaat ze Rob Bots weer bellen voor het doorspuiten. 'Maar dan word ik al drieënveertig. De druk wordt steeds groter. Als ik heel eerlijk ben denk ik dat het niet meer lukt.'

Maar ja, zegt ze dan: 'Vorige maand was ik het misschien wel.'

Er zijn nu gewoon andere dingen die voorrang hebben. 'Ik móét nu dingen regelen. Niet dat die belangrijker zijn dan een baby, maar ik heb er nu gewoon geen tijd voor.'

Deze Kerst zag ze Steven weer met zijn nichtjes, de kinderen van zijn zus. 'Hij kan zo goed met kinderen omgaan, beter dan ik. Dat is zo leuk, ik zou het hem zo gunnen.'

Voor haarzelf is ze er rationeler over. 'Ik heb verschillende relaties gehad. En met alle drie de mannen had ik om verschillende redenen geen kind. Eerst was ik te jong, toen was de man niet geschikt en die andere wilde niet. Die keuze is toen gemaakt. Ik weet niet of ik Steven tien jaar geleden had zien staan. Ik weet ook niet of ik dan wél kinderen had gewild, op mijn dertigste. Ik was erg met andere dingen bezig.'

Ze denkt wel dat ze er misschien in gegroeid was. 'Als ik toen een leuke vriend had die het ook wel wilde, dan waren we er vast na een paar jaar aan begonnen.' Maar ze was met een man die niet wilde. En zelf dacht ze: het gaat misschien nog wel uit. 'Er was altijd een escape denkbaar,' zegt ze. 'Het kón nog.'

Nu bekruipt haar weleens de gedachte dat het definitief zou kunnen zijn.

Achteraf, zegt ze, vindt ze het geen goede manier om zo'n belangrijke beslissing te nemen. 'Misschien had ik er eerder over na moeten denken. Maar mijn beeld van mijn leven was zonder kind. Toen kwam Steven en wilde ik voor het eerst een kind. Opeens realiseerde ik me dat ik er wel open voor stond.'

Als dokter Bots in die spreekkamer had gezegd: we doen nu ivf, had ze het meteen gedaan. Maar dat zei hij niet. 'Ik had me echt opengesteld. Ik dacht: we gaan ervoor. Al die tijd dacht ik: met ivf lukt het wel.'

Ze veegt de chocolade van de Bossche Bol van haar vingers. Ze moet zo weg, in het donker naar het nieuwe huis. Het is nog in aanbouw, ze moet er heen om dekzeil over de uitbouw te leggen. Haar huis in het centrum is verkocht, ze woont nu bij Steven. Sinds ze een maand geleden de transportakte tekende en de sleutels inleverde, is ze nooit meer langs het huis gelopen. Het doet haar te veel denken aan de tijd dat ze er vaak met haar ex was, de man die een kind uit een eerdere relatie had. 'Ik ben er helemaal klaar mee. Ik heb me echt gestort op een nieuw project: ons huis.'

Elk vrij uurtje lopen Steven en Mirjam over meubel-boulevards en langs vloerenzaken. Eettafel, wasmachi-ne en bank – alles moet nieuw gekocht worden, ze willen geen herinneringen meenemen naar het nieuwe huis.

Het is ook een emotionele tijd. Steven is zich aan het voorbereiden op de verhuizing. Bij het uitzoeken van de spullen komt hij veel dingen tegen die hem doen denken aan zijn ouders, die een paar jaar geleden vlak na elkaar zijn overleden.

Mirjam vertelt wat haar deze maanden het meest heeft beziggehouden. Op de slaapverdieping van het nieuwe huis zijn straks drie kamers. Een slaapkamer, een kleed-kamer en een lege kamer, die is over.

'Ik moest gordijnen uitzoeken, dan moet je weten wat je ermee doet. Steven zegt: zullen we er een logeerkamer van maken? Of zullen we die op zolder doen?'

Die beslissing, zegt ze, heeft ze steeds voor zich uit ge-schoven. 'Nu heb ik de knoop doorgehakt en rolgordij-nen gekocht. Dat kind komt voorlopig toch niet, dacht ik.'

Toen moest er een logeerbed komen. 'Wéér die aarze-ling. We kunnen toch ook een bankbed kopen, dacht ik. Over drie, vier weken moet ik die kamer inrichten als lo-geerkamer, want er is geen kind. Daar zie ik tegen op. Ik heb er dus toch op gehoopt, denk ik nu.' Ze is ook bang dat het ergste nog moet komen. 'Straks is het gebeurd, is het huis af en dan? Wat dan?'

17

Het laboratorium

'Wij zijn het labvolk.' Marcel Peeters, een vriendelijke zestiger in een bruin wollen colbert, spreidt zijn armen. Hij staat met klinisch embryoloog Dimitri Consten tussen de vrouwen uit het laboratorium. Witte jassen dragen ze, met verschillende kleuren pennetjes in hun borstzak, stille vrouwen – hier wordt serieus gewerkt.

Hermien is vandaag de semenanalist. Zij zit bij de deuropening. Ze tuurt de hele dag door een microscoop naar bewegend zaad. In haar linkerhand een telmachientje waarmee ze met een telraam het aantal zaadjes vastlegt dat ze voor zich ziet zwemmen. Naast haar een stapel formulieren waarin ze af en toe een aantekening maakt.

Dimitri doet vandaag de ivf. Hij haalt de eicellen op uit de behandelkamer, boven, als de vrouw haar punctie krijgt. Hij prepareert het semen zodat hij alleen met de beste zwemmers werkt. Hij houdt de eicellen in de stoof goed op temperatuur en zorgt ervoor dat ze altijd in kweekmedium liggen. Als daarna beide partijen een paar uur tot rust zijn gekomen en gewend zijn aan hun nieuwe omgeving, druppelt hij met een pipet de opgewerkte zaadcellen in het kweekmedium naast de eicellen en legt het schaaltje terug in de stoof. Dan kan het bevruchten beginnen.

Angelique zorgt voor de embryo's. Als er eicellen bevrucht zijn, brengt zij de beste ervan naar boven, naar de behandelkamer waar de arts en de vrouw die ze teruggeplaatst krijgt al wachten.

Als de vrouw daarna naar huis gaat, zorgt Angelique voor de embryo's die over zijn. Ze laat ze een nacht liggen in de stoof, zorgt ervoor dat de kwaliteit gecontroleerd wordt door Marcel Peeters en vriest ze dan in.

Suzan mag vandaag de icsi doen. Zij injecteert één zaadcel in een eicel. Dat is het echte precisiewerk.

Er gaat een belletje. Hermien loopt naar de balie om een potje zaad in ontvangst te nemen. De man staat er wat bedremmeld bij, maar Hermien plakt onverstoorbaar een sticker op het potje en bedankt de man. De werkdag op het lab is begonnen.

Tussen de vele incubators, microscopen en petrischaaltjes hangen babyfoto's en geboortekaarten. Boven op de keukenkastjes staan flessen wijn, die zwangere stellen als dank opsturen naar het anonieme labvolk dat hun baby gemaakt heeft. De luchtkwaliteit en temperatuur zijn hier heel precies afgesteld.

Er wordt hier gewerkt volgens vaste structuren. 's Morgens tussen acht en negen wordt het semen afgeleverd, voor de ivf- of icsi-behandeling. De vrouw is dan een uur later aan de beurt, ergens boven, in een van de behandelkamers, wel tien minuten lopen van het lab. Daar worden de eicellen door de fertiliteitsarts gehaald met een punctie, waar een van de laboratoriumanalisten bij aanwezig is. Die wandelt met de eicellen door de gangen naar het lab. Nog voor de lunch worden alle zaadjes en eicellen geprepareerd en in de incubator gelegd. Na de lunch worden de resultaten van de vorige dag bekeken. Om half vier is het theepauze. Dan doen de dames hun witte jas uit en lopen ze met een schilmesje en een appel naar de koffiekamer.

Marcel Peeters (60) heeft met Rob Bots sinds 1985 vijfduizend kinderen op de wereld geholpen. Vanachter een ijskast haalt hij een prikbord tevoorschijn met krantenstukken uit de jaren tachtig. 'REAGEERBUISBABY'S' koppen ze. 'Die term was hélémaal in,' lacht Peeters. Vreselijk woord vindt-ie dat. 'Je moet je bij zo'n embryo nauwelijks iets voorstellen, zeker niet een baby in een reageerbuis.'

Aan de muur van het lab hangen wel honderd babyfoto's. Veel twee- en drielingen staan erop. Vierlingen komen hier sinds de jaren tachtig niet meer voor.

'Ivf,' doceert Peeters, 'betekent: bevruchting in glas. Klassieke ivf is sperma en een eicel in een schaaltje leggen en dan de natuur z'n gang laten gaan. Er is niks aan.'

Hij beschrijft in het kort de fases van ivf. 'De vrouw legt eens in de maand een ei. Dat vinden wij te weinig. Dus gaan we over naar fase één van de behandeling: poli-ovulatie. We willen acht à negen eitjes. We kunnen het met hormonen opvoeren van één tot vierenveertig en dat laatste is te veel.'

Overstimulatie heet dat. Dat probeert de arts dus te voorkomen door voorzichtige hoeveelheden hormonen (fsh) voor te schrijven.

Fase twee van de ivf is de punctie, in de jaren tachtig nog een échte operatie onder narcose. Nu liggen de vrouwen in een stoel, en krijgen een kleine plaatselijke verdoving. Met de echo wordt gekeken of er genoeg eicellen zijn. Dan duwt de arts een naald door de vagina-wand en worden de eiblaasjes een voor een leeggezogen. 'Dat is even vervelend als naar de tandarts gaan,' zegt Peeters, maar veel vrouwen denken daar anders over. De openingstijden van het lab worden bepaald door de cy-clus van de vrouw: staan de eiblaasjes op knappen, dan moeten ze net daarvoor leeggezogen worden. Is een em-bryo rijp, dan moet die nog dezelfde dag worden terug-geplaatst.

Pas bij fase drie komt het zaad eraan te pas. Per lozing hebben gezonde mannen honderd miljoen zaadjes. 'Dat vinden we te veel,' zegt Peeters. 'En de meeste doen het niet goed.' Die moeten er dus uit, zodat de beste over-blijven. En dan kan fase vier beginnen, in een schaaltje: de ivf of icsi.

Op deze vroege ochtend zit Dimitri Consten (32) al klaar in de koffiekamer. Hij is klinisch embryoloog, de man die bij ivf het zaad en de eicellen aan elkaar voor-stelt. 'Iedereen wil later kinderen hè?' barst hij los. 'Mensen die er na hun dertigste aan beginnen komen hier terecht.'

Dimitri houdt er duidelijk niet van, die stroom van oude moeders die het ziekenhuis betreden. Zijn moeder was tweeëndertig toen ze hem kreeg. 'Dat was in die tijd heel oud. Alle kinderen uit mijn omgeving hadden ou-ders die tien jaar jonger waren. Ik vond dat niet leuk.'

Zelf besloot hij daarom jong vader te worden. Al op zijn zesentwintigste kreeg hij zijn eerste kind. Hij ziet dagelijks het effect van de afnemende kwaliteit van ver-ouderde eicellen. Ze laten zich minder goed bevruchten en het celdelen verloopt vaker rommelig. Ook de leeftijd van de man speelt een kleine rol, weten we sinds eind 2006. De kans op een miskraam neemt iets toe met de leeftijd van de vader.

Dimitri staat op, doet zijn witte jas aan en loopt door de lange gangen naar het lab. Tegenover de balie zwaait hij een deur van een kamer open en klikt het licht aan. Een ruimte zonder daglicht, met een ondeugende chaise longue, zware siergordijnen en een grote stapel handdoekjes. Normaal liggen er boekjes, legt Dimitri uit, maar die worden vaak gejat. 'Je kunt een kamer nog zo mooi maken, dit gedeelte blijven mannen het vervelendst vinden.'

Als de mannen klaar zijn, bellen ze naar het lab. 'Dan haal ik het potje discreet op,' zegt hij. 'Ze moeten natuurlijk wel zeker weten dat het daar niet uren blijft staan.'

Hij neemt plaats achter een van de ivf-werkplekken in het lab. Bij ieder stel moet hij gebruikmaken van een andere werkplek, om verwisselingen te voorkomen. 'Je haalt ze zó door elkaar,' zegt Dimitri. Daarom voeren ze alle inseminaties uit volgens een streng protocol, met verschillende controlemomenten en collega's die op het moment suprême meekijken.

Het zaad dat nu voor hem staat is bestemd voor de derde ivf-poging van een stel met een rommelige geschiedenis. Bij de eerste poging leverde de punctie dertien eicellen op, waarvan er in het lab zeven bevrucht raakten. Een mooie score. Maar de vrouw (31) raakte niet zwanger. Bij poging twee had ze weer dertien eicellen, maar wilden er maar twee bevrucht raken. De kwaliteit van het zaad was opeens minder. Bij deze derde poging, de laatste die de verzekering vergoedt, neemt het lab geen risico's. Er zijn zojuist bij de punctie acht eicellen uit de vrouw gehaald. Besloten is vier eicellen een ivf te laten ondergaan, de eerste keer ging dat immers perfect, en de andere vier met een icsi-behandeling proberen te bevruchten. Bij gelijk resultaat zal een na icsi bevruchte embryo worden teruggeplaatst, dat heeft een iets betere score dan ivf-embryo's. Maar de ivf-embryo's laten zich beter invriezen, vandaar deze 'half-half'-techniek.

'Nu gaan we kijken,' zegt Dimitri, 'of het semen vandaag goed is.' Hij draait een potje open. Een indringende geur verspreidt zich. Hij tuurt door de microscoop en concludeert: 'Het is redelijk.' Half-half was een goede keuze dus.

Maar het kan altijd beter. In een selectieproces haalt hij de beste tien procent eruit. Die gaan even de stoof in, een incubator waarin het zevenendertig graden is. En daar wachten ze op de eicellen, die nu door analist Angelique Marcelissen worden opgehaald. Als ze ermee arriveert, wordt de oogst in een heldere vloeistof gelegd. Met het blote oog zijn de eicellen ternauwernood zichtbaar. Onder de microscoop steekt Angelique met naalden de cumulus weg, een gelachtige beschermingslaag. Wéér een hindernis waar het sperma zich niet doorheen hoeft te worstelen.

De wekker gaat. Dimitri springt op. 'Tijd voor de eerste bevruchting!' In een petrischaaltje met roze vloeistof heeft Angelique de vier eicellen klaargelegd. Ze komt naast Dimitri staan om de namen van de eigenaar van het zaad en die van de eicellen te checken. Met een pipet zuigt Dimitri een druppel sperma op. Hij laat die aan de rand van het glaasje weer vallen, zo ver mogelijk bij de eicellen vandaan. 'Zo krijg je het best zwemmende zaad als eerste bij de eitjes,' legt Dimitri uit. Dat maakt eigenlijk niet zo heel veel uit, het gaat immers niet om de zwemkwaliteit maar om het genetisch materiaal dat in de kop zit. 'Of die nou gebracht wordt door een Daf of een Mercedes, dat is niet zo belangrijk.' Ze laten ze in het lab toch wedstrijdzwemmen om het natuurlijke proces zo veel mogelijk na te bootsen.

Dimitri zet het schaaltje in de incubator. Over vierentwintig uur wordt er gekeken: zijn er celdelingen opgetreden? Want dan pas is er sprake van een embryo. Na twee nachten in het lab wordt er een teruggeplaatst in de moeder. De rest wordt vernietigd of ingevroren, afhankelijk van de keuze van de patiënten.

Bij iui heeft Dimitri een uurtje nodig om het zaad op te werken. In een proces met een centrifuge worden dode zaadcellen en bacteriën verwijderd. Ook worden ze uit de zaadvloeistof gehaald, dat is beter voor de beweeglijkheid. Nu de eicel op ze ligt te wachten, moeten ze juist hard kunnen doorzwemmen. Dan gaan ze in de incubator. 'Kunnen ze lekker op zevenendertig graden een beetje bijkomen,' zegt Dimitri. 'Tot ze supergemotiveerd zijn.'

Hij loopt dan naar de behandelkamer waar de patiënte ligt te wachten. Met een katheter brengt de arts het dan naar binnen, voorbij het slijm in de baarmoedermond, meteen de baarmoederholte in. Alle hindernissen die het zaad normaal tegenkomt, worden zo gepasseerd. Het ziekenhuis zorgt ook voor een optimale timing bij de vrouw. Haar eigen eisprongsignaal wordt uitgeschakeld, de Pregnyl-injectie met hcg bepaalt nu wanneer de eisprong plaatsvindt: precies veertig uur na het spuiten. Een paar uur daarvoor moet Dimitri's katheter presteren.

Na de lunchpauze neemt Marcel Peeters plaats achter de microscoop en wacht op de schaaltjes die Angelique uit de incubator haalt. Hier liggen embryo's een paar dagen in alle rust. Eens per dag kijkt Peeters hoe het ze vergaat. Zijn ze gaan celdelen? Hoe vaak? En hoe mooi? Na drie dagen, uitgerust met zo'n acht cellen, kan de beste worden uitgezocht en teruggeplaatst. Dit is de zogenaamde 'selectie van embryo's', die vragen oproept bij ethici.

Ze kunnen met speciale technieken (pre-implantie genetische diagnose, pgd) getest worden op sekse of op de aanwezigheid van bepaalde genetische afwijkingen. Dat gebeurt al in sommige ziekenhuizen, als er reden is voor bezorgdheid over erfelijke afwijkingen. Maar de eicellen kunnen ook getest worden op kwaliteit. Embryo's met chromosomale afwijkingen die niet door de natuurlijke selectie zouden komen – die dus eindigen in een miskraam – kunnen er zo in het lab uitgelicht worden. Met deze selectie gaan de kansen op een zwangerschap met grote sprongen omhoog; vooral oudere moeders zouden hier profijt van kunnen hebben.

Nu al vindt er zo'n soort selectie plaats, maar dat gebeurt alleen op visuele kenmerken. Toch is dat een van de redenen voor Rob Bots om bij vrouwen soms meteen ivf uit te voeren, ook als nog niet duidelijk is wat ze mankeert: dan kunnen ze zien of er goede embryo's ontstaan uit haar eicellen en de beste selecteren. In de praktijk is de selectie nu nog heel primitief.

Peeters tuurt door de microscoop en selecteert dan op 'mooi' of 'regelmatig'. Een 'rommelige' legt hij weg.

De eerste portie is van een stel waarvan de vrouw veertig is. Er zijn gisteren zeven eicellen bij haar weggehaald. Er is sperma aan toegevoegd en het heeft een

nacht gelegen. De eicellen zijn over twee schaaltjes verdeeld. 'Voor als je er een laat vallen,' legt Peeters uit. Het
eerste glaasje schuift onder de microscoop. Na lang
zwijgen zegt Peeters: 'Vier keer nul. Dat is niet uitzon-
derlijk, maar wel heel vervelend gezien haar leeftijd.'

Terwijl Angelique het volgende schaaltje uit de incubator haalt, bestudeert Peeters het formulier nog eens.
'Mannelijke subfertiliteit', staat erop. 'Dat geloof ik
niet,' zegt Peeters. 'Het sperma doet erg z'n best.'

Schaaltje twee schuift onder de microscoop. 'Kijk nou
eens,' roept Peeters uit. 'Ze zijn alle drie bevrucht.' Het
komt voor dat twee spermazaadjes zich in één eicel naar
binnen weten te wringen, dan krijg je een triploïd. 'Die
halen we eruit,' zegt Peeters. 'Ze komen in de natuur
ook voor. Je kan ze voldragen, maar je hebt dan kans op
een wezen dat nauwelijks leeft.' Met zijn hand trekt hij
een denkbeeldige lijn van zijn kin tot zijn lies. 'Dat ligt
dan helemaal open.'

De eerste vier eicellen van deze vrouw kwamen misschien uit een andere eierstok, denkt Peeters. 'Bij een
vrouw van tweeëntwintig zou ik denken: hoe kan dat?
Nu denk ik: geen gekke score.'

Door de microscoop is prachtig zichtbaar dat de bevruchte eicellen twee cirkels bevatten, een teken dat de
eerste celdeling heeft plaatsgevonden. Ze gaan meteen
weer terug de incubator in. Morgen wordt gekeken of
het mooie vier-, zes- of achtcellers zijn geworden. De
vrouw wordt alvast besteld, want de kans dat deze embryo's zich vannacht goed ontwikkelen is nu groot.

Wélke er wordt teruggeplaatst en hoeveel, beslist Peeters dan. De vrouw wil er graag twee terug. 'Mensen
denken dat je dan twee keer zo veel kans hebt om zwan-

ger te raken. Nee dus. Je hebt maar een heel klein beetje meer kans.'

Maar soms, als de embryo's van matige kwaliteit zijn, is er ook een kans dat een ervan zich niet verder ontwikkelt. Dan kan twee terugplaatsen de kansen van een stel dus wél verhogen.

Eerder zei Peeters: 'Een tweeling is vervelend, een drieling is een fout, een vierling een ramp.' Die opvatting is meer dan een kwestie van mode. Vierlingen waren in de jaren tachtig nog geaccepteerd. In dat decennium zijn er hier vier gemaakt. Daarna werden ook drielingen en nu tweelingen een verschijnsel dat voorkomen moet worden. Het risico op vroeggeboorten en een laag geboortegewicht is groot. Zeker bij een wat oudere moeder is de kans groot dat de kinderen hun leven in een couveuse moeten beginnen. De lijst van aandoeningen bij premature kinderen is lang. Tien procent heeft zelfs een ernstige ontwikkelingsstoornis.

Maar sóms besluit Peeters toch het risico te nemen.

Voor hem ligt een petrischaaltje met de eicellen van een vrouw van achtendertig. De oogst gisteren bij de punctie was zes eicellen, er zijn er vijf bevrucht: een keurig resultaat. Maar nu staat Peeters voor een dilemma. Eén ontwikkelde zich wat rommelig, maar vier zien er redelijk uit. Dit stel koos ervoor één embryo terug te plaatsen. 'Welke moet ik pakken?' vraagt hij. 'Ze zijn alle vier oké, maar niet een perfect.'

Gezien de mindere kwaliteit van de eicellen en de relatief hoge leeftijd van de vrouw wil hij er graag twee terugplaatsen. Hij besluit de patiënten, die vanmiddag zouden komen voor de terugplaatsing, af te laten bellen en de embryo's nog een dagje in de incubator te laten rijpen. Misschien dat ze zich morgen wel van elkaar onderscheiden, anders zal hij de mensen voorleggen er toch twee terug te plaatsen.

Later op de dag komt het weer voor dat hij er twee terug wil plaatsen, ondanks de wens van de patiënt. Bij een vrouw van tweeëndertig zijn eergisteren zes eicellen weggehaald. Gisteren zaten er in het eerste bakje twee keer nul, niet bevrucht dus. Die zijn vandaag nog steeds niet bevrucht. De derde in het bakje was rommelig, vandaag is die nog rommeliger. In bakje twee zit een mooie tweeceller, een matige vierceller en een slechte vierceller. Peeters besluit: 'Ik wil er twee terugplaatsen – die mooie en de matige. Maar misschien word ik teruggefloten.'

De vrouw is al in het ziekenhuis voor haar terugplaatsing. Na kort overleg gaat ze akkoord. Angelique Marcelissen kan nu de terugplaatsing voorbereiden en de katheter vullen.

Het terugplaatsen is een eenvoudige handeling, legt Peeters uit. 'Een basisarts kan het.' Het soepele slangetje met de twee embryootjes erin wordt via de baarmoedermond in de baarmoeder geschoven, tot aan het streepje dat Angelique erop heeft gezet. Als dat ter hoogte van de baarmoedermond is, roept de arts: 'Ja.' En spuit Angelique het slangetje leeg. 'Soms is het wat frummelen,' zegt Peeters. 'Daarom mag de laborant het niet zelf doen.' Maar eigenlijk, zie je hem denken, hebben ze daar geen arts voor nodig.

18

Mario en Jolanda gaan beginnen

Op een warme ochtend in augustus zitten Mario en Jolanda Godrie weer rond hun koffietafel in Roosendaal. De dwergpapegaai heeft het nog niet bijgelegd met de hond, zijn gescheeuw vult de ruimte. Het consultatiebureau is net langs geweest voor de anderhalfjaarcheck van Femke. De box staat klaar om naar zolder te worden gebracht. Femke is er inmiddels te groot voor.

Jolanda begint meteen te vertellen wat haar het laatste half jaar is overkomen. De twee cryo's zijn mislukt. De eerste poging wilde ze graag zonder medicijnen proberen, op haar natuurlijke cyclus.

'Dat was afzien!' roept ze. 'Dat eitje werd maar niet rijp. Ik ben geloof ik wel twaalf keer naar Tilburg gereden.' Toen bleek dat ze die maand een slecht eiblaasje had. 'Opééns was de eisprong, die hebben we gemist, terwijl ik om de dag ging voor een echo.'

Van de spanning kreeg ze de ene migraineaanval na de andere. Dát nooit meer, besloot ze. Dan maar weer die hormonen. Dus bij het evaluatiegesprek vroegen ze: wil je het nog een keer zo? 'Ik zei: nu met medicijnen, en dat zijn er veel hoor.'

Als je medicijnen gebruikt, kunnen ze van tevoren een datum prikken waarop ze de embryo's ontdooien. De dag nadat ze uit de vriezer kwamen, mocht Jolanda bellen om naar de kwaliteit ervan te informeren. Als ze kapotgevroren waren, ging de terugplaatsing niet door en had ze de medicijnen voor niets geslikt. Maar twee van de drie embryo's bleken nog goed te zijn. 'Beter dan de vorige,' had de vrouw die ze aan de lijn had zelfs gezegd.

Mario: 'Dan ga je toch meer hopen.'

Maar Jolanda had er een hard hoofd in. Na tien dagen werd ze ongesteld. Dus ze dacht: weer niks. 'Ik stopte maar meteen met die medicijnen ook.' Een paar dagen later ging ze bloed laten prikken. 'Ja, dat doe je dan toch maar, voor de zekerheid.' Voor de uitslag kreeg ze Corry aan de lijn tijdens het spreekuur van het secretariaat van de verpleegkundigen. Ze vertelde dat er wel een innesteling was geweest, maar dat Jolanda niet zwanger was. Ze haalde haar schouders op en ging naar haar werk.

De volgende morgen ging de telefoon, vroeg. Het was Corry. Ze was 's nachts wakker geworden met de gedachte: wat als Jolanda toch zwanger is? Als die test het niet goed had? Als die innesteling toch heeft doorgezet?

Metéén weer je medicijnen nemen, zei Corry. En over twee dagen nog eens bloed prikken. Toen gaf de test aan dat er nog steeds iets zat. Dus een dag later prikten ze weer. Maar toen was het weg.

'Zelf geloofde ik het al die tijd niet,' zegt Jolanda. 'Als ik zwanger ben, dan merk ik het. Ze zeiden dat je dat niet zeker weet, dat elke zwangerschap weer anders voelt. Maar ik wéét het gewoon.' Het zou ook te gemakkelijk zijn geweest, vond ze. Geen punctie, geen zware hormonen. 'Ik ben gewend pijn te hebben van tevoren.'

Maar 's avonds zat ze op de bank en bekroop haar een gedachte. 'Opeens dacht ik: het kán dus wel, zwanger worden van cryo – ik ben het even geweest.' Het is dus een reële mogelijkheid, realiseerde ze zich. Ze neemt een slok thee en zegt: 'Maar nu is het op. En dan heb je zoiets van: shit.'

Mario zwijgt en kijk naar Jolanda. Hoe was het voor hem? Ze kijkt hem strak aan en zegt: 'Hij heeft z'n tranen wel gelaten hoor. Ik heb hem er in het begin echt doorheen moeten trekken. Hij was er bepaald niet laconiek over.'

En jullie relatie? Jolanda: 'Ik dacht nooit: het ligt aan jou. We hebben het altijd beschouwd als ons probleem. We zijn elkaar nooit uit het oog verloren.'

Mario knikt instemmend. Hij neemt nog een slok van zijn koffie. 'Ik hoop,' zegt hij plotseling, 'dat het nu in een keer lukt. Ik zeg het héél eerlijk: ik ben blij dat ze het kunnen enzo, maar dat op en neer gerij, dat ben ik nu wel echt zat.'

Zouden ze na de eerste poging kunnen stoppen? 'Nee,' zegt Jolanda resoluut. 'We gaan de volle drie doen. Ik wil het nog een keer meemaken, zwanger zijn.'

Dan bindt Mario iets in. 'Als het in Roosendaal was, zou het voor mij prima zijn. Nu ben je er toch steeds een paar uur mee kwijt.'

Jolanda draait haar hoofd opzij: 'Je gaat nog maar heel weinig mee!'

Ze hebben nu de afspraak: Mario gaat mee bij de punctie en met de terugplaatsing. Alle andere afspraken – echo's, bloedprikken, uitleg van de medicijnen – doet Jolanda nu alleen.

Met de punctie moet Mario trouwens wel mee, want dat is de dag dat hij zijn zaad inlevert. Hij mag het thuis produceren, maar dan moet het wel binnen een uur in Tilburg zijn. Het is drie kwartier rijden naar het ziekenhuis.

'Dat is heel krap,' zegt Jolanda. 'Dat uur is van lozing naar het lab. Voor je in de auto zit en vervolgens bij het lab zelf bent, want dat is ook nog een heel eind lopen vanaf de auto...'

Mario: 'Gezien de drukte in het verkeer doe ik het toch maar dáár. Het moet er echt op tijd zijn hè? En het moet op lichaamstemperatuur blijven. Dus dat is een risico.'

Eén keer heeft het gelekt, toen moest het opnieuw. Dat was nog in het ziekenhuis in Roosendaal. 'Daar hadden ze geen kamertje,' vertelt Mario, 'dus moest ik het op de wc doen. Toen voelde ik me opgelaten hoor. Ik was bang dat iemand me zou horen.'

Jolanda: 'Voor jou is het ook een hele prestatie geweest.'

Mario, grijnzend: 'Gelukkig kan ik dat goed.'

Jolanda: 'Ja, er zijn er ook die het niet kunnen hè?'

Hij zit op de bank met een verlegen Femke op schoot. Ze laat zich vallen tegen zijn zachte buik. 'Onze vakantie zit er bijna op,' zegt Mario. Ze zijn twee weken naar Winterberg geweest. Maandag moeten ze weer naar hun werk.

Drie nieuwe pogingen komen er nu aan. Jolanda slikt de pil weer, volgende week moet ze weer gaan spuiten. Ze moest haar oude dossier van zolder halen om na te lezen hoe het allemaal ook alweer zat. Van de vorige keer weten ze wat voor Jolanda het juiste recept voor de medicijnen is. Ze wijst naar Femke: 'Evenveel als bij haar.'

Vanaf de punctie, over drie weken, tot aan de uitslag neemt ze vrij. Ze werkt op de vlees- en kaasafdeling van de Albert Heijn. 'Ik til best veel,' vertelt ze. 'Dat wil ik niet rond die tijd. Het mag wel maar ik voel me er niet lekker bij.'

Vorige keer nam ze er vakantiedagen voor op, maar haar nieuwe bazin zei: meld je maar gewoon ziek. Dat voelt niet helemaal eerlijk, vindt Jolanda. 'Ik lig die weken niet de hele dag op bed ofzo.'

Mario roept: 'Na die punctie kun je nog maar nét op je benen staan!' Hij heeft met zijn werk een regeling dat hij de uren dat hij niet werkt omdat hij naar het ziekenhuis moet, voor de helft vergoed krijgt.

Jolanda ziet erg op tegen de punctie, straks in september. 'Als ze die eicellen wegzuigen voel je schokjes in je buik. Dan worden de blaasjes volgepompt met bloed. Het zijn inwendige wondjes. Dat is ook heel pijnlijk. Je krijgt wel een paar prikken in je bil, voor de verdoving, maar dan nog voel je het. De punctie vond ik erger dan de bevalling.'

Ze hebben afgesproken drie pogingen te doen, daarna wordt het te duur en te belastend voor Jolanda's lichaam. 'Toen Femke er nog niet was, was ik vastberaden dóór te gaan,' zegt Jolanda. Nu is dat achter de rug. 'Als het niet lukt,' zegt ze, 'gaan we door met z'n drietjes.'

Mario: 'Dan nemen we nog een hond.'

Jolanda kijkt Mario lang aan. 'Ik zou er niet zomaar overheen stappen. Het moet dan wel een plaats krijgen.'

19

De cryo's

Angelique Marcelissen draagt een zwarte coltrui met daarover een gouden kettinkje. In de borstzak van haar witte jas zit een trosje pennen en watervaste viltstiften. Op deze doorde weekse middag in het lab haalt ze onafgebroken petrischaaltjes uit de incubator en legt de inhoud onder de microscoop zodat haar chef, Marcel Peeters, de kwaliteit ervan kan beoordelen.

Embryo's die worden beoordeeld voor ze worden ingevroren, zijn vier of vijf dagen oud. De beste is een dag ervoor teruggeplaatst in de vrouw. Die is nu naar huis. Over twee weken weet ze of deze poging leidde tot een zwangerschap. Was dat niet zo, dan zal ze blij zijn te horen dat er nog embryo's in de vriezer liggen, zeker als het haar laatste (derde) poging was: dan ligt hier haar laatste kans. Een redelijke kans, want cryo's geven tegenwoordig bijna twintig procent kans op een zwangerschap, en dat is de laatste jaren snel verbeterd.

Marcel Peeters tuurt door de eerste portie die vandaag moet worden ingevroren. In het schaaltje waren gisteren nog drie viercellige embryo's te zien. Het liefst vriest het lab ze in als ze achtcellig zijn. 'Fragmentatie,' mompelt hij bij het zien van de eerste embryo. Het aantal celdelingen én de graad van verbrokkeling zijn de belangrijkste aanwijzingen voor de kwaliteit van het embryo. In dit embryo zijn geen cirkels te zien: alleen een troebele massa. Die is niet goed. Dat was nummer één.

Dan ligt er een achtcellige onder de lens. Hij is onregelmatig. De cirkels zijn heel moeilijk te tellen. 'Die doe ik niet,' zegt Peeters gespannen. Daar gaat nummer twee.

Hij draait het schaaltje en zoekt nummer drie. Eigenlijk is het doek voor deze vrouw al gevallen, want één embryo vriezen ze niet meer in. Dat is te veel moeite voor een te kleine kans. Nummer drie is ook niet puntgaaf. Peeters leunt achterover, Angelique haalt het schaaltje weg. 'Ik doe geen cryo,' zucht hij, en dan een beetje theatraal: 'Dit is Godje spelen.'

'Het gaat om de kans,' legt hij later uit. 'De kans dat een van deze twee minder gave embryo's goed uit de vriezer komt, is heel klein. Maar de kans dat het een zwangerschap oplevert is nog geen één procent. Dat doe ik niet.'

Invriezen is heel moeilijk, legt hij uit. 'We halen het water zo veel mogelijk eruit, maar dat lukt nooit helemaal. Water wordt ijs en die ijskristallen zetten uit. Dat maakt gaten in de embryo's. Dan gaan ze kapot.' Het lab gebruikt daarom een soort antivries, cryopreservant, maar dat helpt maar gedeeltelijk. Bijna een kwart overleeft het invriesproces niet.

Dáárna moeten de ontdooide embryo's zich nog innestelen. Dat gaat ook minder goed bij cryo's. Vandaar dat cryoterugplaatsingen in Tilburg een zwangerschapskans van iets minder dan twintig procent opleveren, iets minder dan ivf. Maar als een vrouw eenmaal zwanger is en de embryo's door de natuurlijke selectie heen zijn, kan de vrouw opgelucht ademhalen. Vanaf dat moment heeft ze een normale zwangerschap, met normale risi-co's.

De volgende portie voor Peeters is een schaaltje met embryo's die net ontdooid zijn. Het stel heeft twee maanden geleden een mislukte ivf-poging gehad. Nu willen ze de overgebleven embryo's teruggeplaatst zien. Het zijn er drie. Peeters tuurt. 'Die doe ik niet,' zegt hij. 'Die is kapotgevroren.' De andere twee zien er nog rede-lijk uit. Ze zijn ingevroren als achtcellers, die cellen zijn nog duidelijk zichtbaar. Maar niet zeker is hoe ze zich ontwikkelen nu ze ontdooid zijn. Daarom besluit Pee-ters ze een nachtje te laten liggen. 'Eens kijken of ze de celdeling weer goed oppikken.'

Hij belt de vrouw op met het nieuws. Ze had er al reke-ning mee gehouden, zei ze, en een extra dagje vrij geno-men. 'Morgen bellen we weer,' besluit Peeters.

Nu ligt er weer een schaaltje voor hem met materiaal dat ingevroren moet worden: drie achtcellers waarvan één een beetje rommelig. Er worden er twee ingevroren, de derde wordt vernietigd. In sommige ziekenhuizen wordt aan de ouders gevraagd of ze deze mogen gebruiken voor onderzoek, Tilburg doet dat niet.

Met een handpompje zuigt Angelique zo veel mogelijk vocht rond het embryo weg, maar uiteindelijk blijven ze in een microscopisch klein plasje liggen.

Deze twee embryo's gaan samen in één rietje. Tot een paar jaar terug werden ze bevroren in ampullen, mini-flesjes die aan de bovenkant open zijn. Als ze ontdooid waren en de ampul werd leeggedruppeld, bleven er wel-eens een of twee aan het glas plakken. 'Die was je dan echt kwijt,' legt Angelique uit.

Nu vriezen ze er minder in, maar van betere kwaliteit. Per twee à drie worden ze in rietjes gedaan, porties waarin ze ook ontdooid worden. Daarvan plaatst Tilburg de beste terug, heel soms met een tweede iets mindere.

Angelique pakt een rietje en bevestigt die aan het handpompje. Dan zuigt ze eerst wat vocht op, dan een belletje lucht en dan een embryo – het vocht vormt straks de dop van het rietje, de lucht dient als een stootkussentje tussen het embryo en het ijs. En zo gaat ze door: nog een luchtbelletje en de laatste embryo. Ze sluit af met een luchtbelletje en kweekmedium. De uiteinden van het rietje worden heel even verhit en platgedrukt, waardoor de uitgangen geseald zijn. Nu kan daarbinnen niets meer bewegen.

Ze sluit de procedure af met nog één keer door de lens van de microscoop naar het rietje turen: zijn álle twee de embryo's écht in het rietje beland?

Heel lang en geconcentreerd kijkt ze. 'Ik zie 'm niet.'

Ze haalt het rietje onder de microscoop uit. 'Daar moet je niet te lang bij stilstaan,' zegt ze resoluut. 'De ene keer zie je ze wel, de andere keer niet.' En dan besluit ze met: 'Ik heb ze naar binnen zien gaan, dus het zal wel.'

Ze legt het rietje in een doosje van piepschuim en loopt ermee door de gang langs het lab. Een kleine spoelkeuken, met een keukenblokje, op de grond twee stikstofvaten en op het aanrecht een apparaat dat hysterisch piept. Dit is de cryoruimte.

Angelique doet de rietjes in een kokertje en plakt er een papieren stickertje op; '2' schrijft ze erop. Ze schuift het kokertje in het piepende apparaat, waarin het in twintig minuten voorvriest. Ze zet een wekkertje en gebruikt de resterende tijd om de stikstofvaten bij te vullen. Ze zet een doorzichtig plastic scherm op haar hoofd en opent een bus stikstof; als ze er te veel van inademt, werkt het als een soort narcose. Ze draait een van de tonnen open en giet er nonchalant wat bij. De dikke rook glijdt langs haar helm en kruipt over de vloer, langs haar schoenen. 'Er gaat weleens wat overheen,' lacht ze. Stikstof veroorzaakt vreselijke brandwonden. 'Daarom mag je dit nooit met sandalen doen.'

De wekker gaat. Ze haalt het rietje uit het vriesapparaat en brengt het even in contact met een ijskoude pincet. Langzaam zal het nu naar min honderddertig graden zakken, de temperatuur waarop het leven stilligt. Daarna gaan ze naar de vaten met vloeibare stikstof van min honderdzessennegentig graden. 'Theoretisch,' zal Marcel Peeters later uitleggen, 'kun je ze zo zesduizend jaar bewaren.' Alleen de achtergrondradioactiviteit gaat door, die beschadigt het materiaal. Het reparatiemechanisme van het menselijk dna ligt op min honderddertig graden ook stil. Vandaar zegt Peeters 'theoretisch', want na zesduizend jaar zal de schade zo groot zijn dat het materiaal niet bruikbaar meer is. Angelique klikt het licht in de ruimte uit en sluit de schuifdeur.

In Tilburg wordt het merendeel van de cryo's binnen een paar maanden opgebruikt door mensen die een mislukte ivf- of icsi-poging achter de rug hebben. Als ze niet meteen worden opgebruikt, dan is dat meestal omdat de vrouw inmiddels zwanger is geraakt. Dan krijgen de patiënten na twee jaar een briefje, het moment waarop de meeste mensen toe zijn aan een tweede zwangerschap.

Marcel Peeters schat dat er in zijn lab zo elk jaar honderd embryo's overblijven. Er zijn dertien ivf-laborato-

ria in heel Nederland. Jaarlijks moeten dat dus zo'n vijf-
tienhonderd embryo's zijn. De mensen willen ze niet terug omdat hun gezin is voltooid of omdat ze uit elkaar
zijn. 'Wij zijn niet meer bij elkaar, we hoeven ze niet
meer,' schrijven ze dan. Peeters kan zich daar weleens
over opwinden. 'We hebben jarenlang voor die embryo's
gezorgd, vanuit een filosofie van beschermwaardigheid.
En dan krijgen we zo'n briefje, soms handgeschreven op
een velletje uit een multomap: *gooi ze maar weg*. Dan
denk ik weleens: God, waar zijn we mee bezig.'

20

Eicel- en embryodonatie

Om acht uur 's morgens zit het kleine kamertje achter het secretariaat propvol. Achter grote koffie- en thee-kannen zitten Rob Bots, twee fertiliteitsartsen, een nog slaperig ogende maatschappelijk werker en een psychia-ter. Tijdens dit wekelijkse overleg worden patiënten doorgenomen over wie de artsen zich zorgen maken. Als hun situatie niet snel verbetert of als ze daar zelf behoef-te aan hebben worden ze doorverwezen naar een van de klinisch psychologen, Sandra Veenstra en Veronique Boelaerts, die vandaag niet aanwezig konden zijn.

Een van de fertiliteitsartsen begint de sessie. Ze is be-zorgd over een patiënte, een vrouw die net te horen heeft gekregen dat de derde en dus laatste ivf-poging mislukt is. Ze reageerde er niet goed op.

De maatschappelijk werker: 'Als ze slecht nieuws heb-ben gehad moeten ze eerst een paar dagen thuis naden-ken en het verwerken. Dan zakt het meestal wel vanzelf.' Maar deze vrouw had een extra steuntje nodig. Na een gesprek met een klinisch psychologe is ze weer gaan werken.

Bots, opgewekt: 'Empathie doet wonderen.'

Er is een mail van Sandra Veenstra. Rob Bots leest hem voor. Ze zit ergens mee. Op de poli komen steeds meer mensen die zwanger zijn geraakt met een donorzaadje of eicel. Ze heeft nu een stel in behandeling dat een kindje heeft gekregen van een eicel van een zus. De moeder is erg depressief. Vader én moeder hebben er moeite mee zich te hechten aan de baby. Dat is dit jaar vaker voorgekomen, schrijft ze. En niet alleen bij donorouders. Ze ziet het ook weleens bij gewone ivf dat de ouders zich niet hechten. 'In december word ik altijd een beetje filosofisch, dus ik dacht: ik stel het eens aan de orde. Wat denken jullie?'

Bots laat de A4'tjes zakken en zegt: 'Nogal heftig hè?'

De psychiater wordt om raad gevraagd. 'Hechtingsproblemen komen voor bij mensen die zelf niet goed gehecht zijn. Dat is belangrijker dan of het eitje van een ander komt of niet. Dat moet je van tevoren goed checken dus.'

Bots: 'Ze gaan voor aanvang van de donorprocedure al naar de klinisch psycholoog. Dat moet van de ethische commissie. Dat is dus niet de oplossing. Wat zullen we doen met de kreet van Sandra?'

Psychiater: 'Meer opletten. Dat doen wij misschien niet goed genoeg. Daar zouden we onze mensen voor moeten opleiden.'

Bots: 'Maar als het geldt voor alle behandelingen en niet alleen bij donorproducten, dan moeten we iedereen checken op hechting. Dat gebeurt in het dagelijks leven ook niet. Er zijn jaarlijks duizenden spontane zwangerschappen, die mensen hoeven ook niet eerst naar de burgemeester. Zouden wij dan de rem erop moeten gooien?'

Psychiater: 'Tja. We hebben ze wel hier voor ons zitten.'

Ze komen er niet uit. Voor ze het onderwerp kunnen afsluiten, komt de maatschappelijk werker met nóg een probleem bij donorouders: 'Een stel heeft een kind via een donoreicel van de vrouw van haar broer, maar de baby heeft iets. Een been is iets korter dan het ander.'

Bots: 'Dat kan niets te maken hebben met dat donoreitje. Dat is gewoon pech.'

Toch ziet de psychiater een verband tussen de twee zaken. Je ziet het vaker, legt hij uit, mensen die jarenlang maar één doel hebben en als dat doel eenmaal bereikt is, komen ze met beide benen op de grond. 'Dan blijkt de realiteit te bestaan uit poep en huilen. Dat komt weleens hard aan.'

Een paar weken later komt in deze vergadering een bijzondere casus aan bod. Rob Bots kreeg een telefoontje van collega Carl Hamilton uit Den Bosch, een van de drie andere ziekenhuizen die gebruikmaken van het ivf-laboratorium in Tilburg. Hamilton had een patiënte die een tweeling heeft gekregen. In de vriezer lagen nog embryo's van haar. Ze kreeg een briefje thuis met de vraag wat ermee moest gebeuren. Ze kon het niet over haar hart verkrijgen om de optie 'vernietigen' aan te kruisen. Dus ze belde Hamilton. Ze zei: 'Ik wil er iemand gelukkig mee maken.'

Dat hadden de artsen niet eerder meegemaakt. Bots had twee patiënten die hij daar heel gelukkig mee dacht te maken. Ze hadden twee mislukte ivf-pogingen achter de rug. De vrouw is nu vijfenveertig, de maximumleeftijd in Nederland waarop vrouwen een vruchtbaarheidsbehandeling mogen ondergaan. Het is ook de maximumleeftijd waarop vrouwen in Nederland een kind mogen adopteren. Dit stel is in afwachting van een adoptiekind, maar het is onzeker of ze op tijd aan de beurt zijn. Over een paar maanden wordt de vrouw zesenveertig. Dan valt het doek. Het gezelschap op de vergadering stemt ermee in om deze optie nader te onderzoeken. Meteen na de vergadering belt Bots de mensen. Die zijn nu koortsachtig aan het nadenken.

Later zal Hamilton zeggen dat hij er, net als Marcel Peeters, problemen mee heeft dat er in Nederland zo veel embryo's worden vernietigd. Embryo's waarvoor hard gewerkt is om ze te laten ontstaan. Het merendeel daarvan wordt vernietigd. Dat is een ethisch probleem, zegt hij. Natuurlijk, vindt hij, is embryodonatie een kwestie waar goed over nagedacht moet worden. 'De gewenstheid ervan moeten we bespreken. Maar nu ligt er een ander ethisch probleem: het vernietigen van embryo's. Daar wordt op grote schaal overheen gestapt.'

Embryodonatie zou een prachtige bestemming zijn voor deze 'restembryo's', vindt Hamilton. 'Er zullen altijd paren zijn die niet willen dat er straks kinderen rondlopen die genetisch van hen zijn, maar er is ongetwijfeld ook een aantal dat er geen bezwaar tegen heeft. Ik vind dat er een maatschappelijke discussie over moet ontstaan.'

Dan is er ook nog de kwestie van de maximumleeftijd voor vruchtbaarheidsbehandelingen. Boven de drieënveertig is er in Tilburg met ivf nog nooit een vrouw zwanger geraakt. Daarom behandelen ze zelden een vrouw boven die leeftijd. Het heeft geen zin. Maar er is een manier om die vrouw wel zwanger te krijgen. Alleen met haar eivoorraad is er een probleem, haar overige biologische functies blijven nog heel lang intact. Als ze eicellen krijgt van een jonge vrouw, zijn haar kansen weer alsof ze twintig is. Het is de laatste kans voor oudere vrouwen met een kinderwens.

In Nederland is het moeilijk om aan eicellen te komen, commerciële eiceldonatie mag hier niet. In België, Spanje, Finland of Rusland is commerciële eiceldonatie wel toegestaan, maar dat kost veel geld. Meestal komt een vrouw in Nederland dus met een jongere zus of een vriendin die bereid is eicellen af te staan. Zij moet dan een hormonale behandeling ondergaan, de eicellen moeten met een naald uit haar lichaam gehaald worden. En ze moet het niet erg vinden dat er een kind komt dat voor de helft genetisch van haar is.

Omdat die donoren moeilijk te vinden zijn komt eiceldonatie relatief weinig voor in Nederland, een paar honderd vrouwen per jaar raken op deze wijze zwanger.

Maar nu is daar, dankzij de vrouw uit Brabant die haar embryo's wil weggeven, dus een nieuwe mogelijkheid bij gekomen: embryodonatie. Een optie die uitdrukkelijk in de Embryowet genoemd wordt.

Medisch gezien is dit veel eenvoudiger dan eiceldonatie. De embryo's zijn er al. De eigenaren hoeven alleen een handtekening onder een contract te zetten waarmee ze ze afstaan en het heeft dezelfde voordelen als eiceldonatie: je kunt er op hoge leeftijd nog zwanger mee raken.

Nu eiceldonatie of embryodonatie steeds meer voorkomt, gaan er stemmen op om de maximumleeftijd voor vruchtbaarheidsbehandelingen te verhogen van vijfenveertig naar vijftig. In augustus 2006 verscheen er een verhaal in het *Nederlands Tijdschrift voor Geneeskunde* van drie Utrechtse gynaecologen en een ethicus. Zij pleiten ervoor die leeftijd, zoals vastgelegd in het Planningsbesluit IVF, te verhogen naar vijftig. Hamilton was als lid van de Gezondheidsraad betrokken bij de totstandkoming van dat besluit, dat uit 1995 stamt en daarna nooit meer is herzien. 'We hebben de leeftijd toen voorlopig vastgesteld op vijfenveertig,' zegt Hamilton. 'Daarbij hebben we aangetekend dat er verder onderzoek nodig is. Als dat gunstig uit zou pakken, zou de leeftijd omhoog kunnen. Het gebeurt nu op redelijk grote schaal en er zijn geen verrassingen boven komen drijven. Ik vind het dus tijd om die leeftijd bij te stellen.'

'Medisch gezien is embryodonatie niets ingewikkelds of nieuws,' zegt Jeanine Bernards. 'Alleen ethisch is het bijzonder.' Bernards is fertiliteitsarts in Tilburg en gespecialiseerd in eiceldonatie. Als de patiënten van Rob Bots straks besluiten de embryo's te willen, komen ze als eerste bij haar terecht.

De kans die de vrouw van vijfenveertig heeft om er in een keer mee zwanger te raken, is twintig procent, evenveel als de maandelijkse kans van een vrouw van in de twintig. Ze heeft geen verhoogde kans op een kind met het syndroom van Down, wat normaal wel voor oudere moeders geldt. Ook niet op andere afwijkingen of een miskraam. Dat zijn allemaal risico's die gelden voor genetisch materiaal van oudere vrouwen. Nu is dat materiaal jong, dus zijn er zeer weinig risico's.

Een oudere vrouw loopt wel meer risico op complicaties tijdens haar zwangerschap. De kans op een keizersnede en zwangerschapsvergiftiging is groter. Ook moet ze in goede conditie zijn, want de hoeveelheid bloed van een vrouw neemt met de helft doe als ze zwanger is. Het hart moet dat aankunnen. Men zegt weleens: als een vrouw nog een marathon kan lopen, kan ze ook een zwangerschap aan.

Dat het genetisch materiaal bij embryodonatie van

een vreemde is, doet vermoeden dat de acceptatie door het lichaam moeilijk zou kunnen zijn. Maar ook dat lijkt niet het geval. Bij draagmoederschap is het niet moeilijker een vrouw zwanger te krijgen dan bij gewone ivf. En bij eiceldonatie ook niet.

Maar hoe zit het met geestelijk welzijn van beide partijen?

In Nederland kennen de stellen elkaar meestal als er sprake is van eiceldonatie. Die patiënten van Janine Bernards ondergaan eerst een procedure. Ze krijgen een gesprek, worden gescreend. Weten ze precies waar ze aan beginnen? Hoe reageren ze op stress? Maar dan nog weet je nooit zeker hoe ze zullen reageren. 'Ik heb meegemaakt dat de twee paren goed gescreend waren,' vertelt Bernards. 'Maar toen de acceptor zwanger raakte, ging de donor alsnog vreselijk door het lint. Dat eindigde in een miskraam en gelukkig maar, want ik weet niet hoe dat op de lange termijn was gegaan.'

'Je weet gewoon niet,' zegt Bernards, 'hoe de betrokkenen zullen reageren als het erop aankomt. Dat is een grote black box.' Ze ziet wel een aantal voordelen van embryodonatie ten opzichte van zowel adoptie als eiceldonatie. Eicellen kun je niet bewaren, dus er moet altijd iemand bereid zijn om ter plekke een hormoonbehandeling te ondergaan en de cyclus af te stemmen op de ontvangende partij. Een vrouw die toch al ivf ondergaat en bereid is tijdens de behandeling een paar eicellen af te staan, dat is bijna onmogelijk te timen. 'Ik zou ze dat ook niet aanraden, eicellen splitsen. Het is psychologisch niet te verteren als de ander wel zwanger is en zij niet.'

Juridisch is embryodonatie een stuk eenvoudiger dan

adoptie. De donorouders hoeven alleen het formulier te ondertekenen waarin ze afstand doen van de embryo's. De vrouw die het kind baart, is vervolgens vanzelf de moeder. De vader is de man met wie ze getrouwd is. 'Een mooiere vorm van adoptie bestaat gewoon niet,' zegt Bernards. 'Je krijgt een kind van een ander in de vroegste vorm. En het is geweldig om zelf de zwangerschap mee te maken. Dat zorgt meteen voor een enorme binding en hechting.'

Bernards vindt wel dat er nog veel vragen zijn over de gevolgen op de lange termijn voor alle partijen. Volgens de wet mogen de donoren niet helemaal anoniem blijven. Zowel zaad- als eiceldonoren moeten zich sinds 2004 registreren bij de Stichting Donorgegevens in Den Haag, zodat als het kind zestien is, het op zoek kan gaan naar de biologische ouders. Bernards wil hoe dan ook een stevig gesprek voor ze dit avontuur aangaan. 'Als ze komen zal ik ze laten zien dat het écht gebeurt, dat mensen er last van krijgen.'

21

Het evaluatiegesprek van Kris en Wendy

Het is een druk half jaar geweest in Biezenmortel. Kris en Wendy hebben een huis gekocht. 'Opééns,' zegt Kris, 'dachten we: we kunnen wel blijven wachten, maar we kunnen ook gewoon verder gaan.' Ze leven in een verhoogd tempo nu Wendy écht genezen lijkt van haar tumor. En er was nog iets: 'Ik ben al over de dertig,' zegt Kris, 'dus het werd hoog tijd voor een hypotheek.'

Ze hebben nu vakantie en blijven in Nederland. Het geld en de tijd die ze daarmee uitsparen, stoppen ze in hun nieuwe badkamer en de houten vloer, die nog moet worden uitgezocht. In december kunnen ze verhuizen.

De eerste ivf-poging van afgelopen winter is mislukt. Omdat er niet genoeg rijpe eiblaasjes waren, is die omgezet in een iui-poging, waardoor de verzekering deze behandeling niet telt als een eerst ivf-poging. De teller staat dus weer op nul.

Maar door die mislukte poging wisten ze wel welke dosis Gonal F Wendy in moest spuiten. De volgende poging verliep daardoor heel goed: bij de punctie was de oogst zeven eicellen die zich ook nog eens allemaal lieten bevruchten in het lab. Maar Wendy raakte niet zwanger.

Er lagen nog vijf embryo's in de vriezer. 'Cadeautje van het ziekenhuis,' hadden ze gezegd. Eén hebben ze twee maanden later teruggeplaatst, maar weer zonder resultaat. De andere embryo's hebben het ontdooien niet overleefd.

Nu zijn ze weer terug bij af. Wendy denkt wel dat ze nu meer kans heeft dan bij de eerste pogingen. Het is een sommetje dat veel vrouwen eindeloos maken: als ze vijfentwintig procent kans heeft om in één poging zwanger te raken, hoe zit het dan bij poging twee? Het antwoord is: bij elke cyclus steeds weer opnieuw vijfentwintig procent kans. Maar Wendy denkt dat haar kansen verhoogd moeten zijn nu ze weten hoe ze op de hormonen reageert. Dat is niet zo, want dan zou ivf beter scoren dan de natuur. En dat is nou precies wat ivf niet doet.

'Meneer en mevrouw Matthijssen,' roept de verpleegkundige. Wendy en Kris lopen de spreekkamer in. Vandaag zijn ze hier voor een evaluatiegesprek: hoe nu verder? Esther, de fertiliteitsarts, vouwt haar handen boven het dossier en vraagt: 'Hoe gaat het met jullie sinds de laatste poging?'

'Goed,' roepen ze in koor.

'Was het een grote teleurstelling voor jullie...' Ze gluurt in het dossier. '...begin juli?'

'Nee,' zegt Wendy. 'Het kwam uit de vriezer, dus ik hoopte niet zo heel erg.'

'Nee, dat lukt vaak niet,' zegt Esther. 'En nu moet je ijskoud opnieuw beginnen. Maar je bent nog jong.'

'Ja, dat zeggen ze steeds,' zucht Wendy.

Esther knikt begripvol: 'Dat kan frustrerend zijn, maar je kansen zijn gewoon beter dan bij iemand van veertig of zelfs vijfendertig. Moed houden dus. Zolang je maar met elkaar vooruit kunt.' Ze neemt een korte pauze en vraagt: 'Wanneer willen jullie verder?'

'Na de vakantie,' zegt Kris.

'Dat is goed,' zegt Esther, 'even de accu opladen. Vakantie is vakantie, dan moet je niet bezig zijn met spuiten.'

Ze pakt een formulier uit het rekje. 'We nemen dezelfde dosis als de vorige keer. Toen was het resultaat optimaal.'

'Behalve het eindresultaat dan,' zegt Kris.

'Jullie kunnen niet zeggen waaróm,' zegt Wendy.

'Nee,' zegt Esther. 'Dat blijft frustrerend. Wanneer is jullie vakantie voorbij?'

'Week vierendertig,' mompelt Kris.

'Wanneer verwacht je je menstruatie?'

'Niet,' zegt Wendy. 'Ik heb geen cyclus, dat is het hele probleem!'

Esther bladert door het dossier en gaat onverstoorbaar door: 'Krijg je van Primolut wel bloedingen?'

'Minimaal,' antwoordt Kris. 'Een heel klein beetje.'

'Dan is dat het moment om te beginnen met spuiten,' zegt Esther opgelucht.

Als ze vijf minuten later weer buiten staan, zegt Kris: 'Zo gaat het nou altijd. Het had net zo goed telefonisch gekund.'

Ze stappen in hun kleine grijze Opel en rijden terug naar Biezenmortel. Bij Wendy komen nu pas de vragen los: 'Ik blijf het toch raar vinden. Ze hebben dan zo'n briefje voor zich liggen met al die scores van ons. Alles ziet er heel goed uit, zeggen ze steeds. Vorige punctie: honderd procent score met de bevruchting. Alles goed. Maar niemand kan me vertellen waarom ik niet zwanger ben.'

'Honderd procent score is toch beter dan vijftig,' zegt Kris tevreden. 'Alles werkt. Eitje, zaadcel, ze weten elkaar te vinden en het groeit goed.'

Wendy zwijgt weer. Ze rijden Udenhout in, het dorp waar Biezenmortel tegenaan geplakt ligt. Na een paar verkeersdrempels waar Kris op vloekt, ligt een wijkje dat nog maar een paar jaar oud is. Rijtjeswoningen met een carport van tropisch hardhout voor de deur. 'Die,' zegt Wendy. 'Die hebben we gekocht.'

22

De punctie van Mario en Jolanda

Om half tien 's morgens staan Mario en Jolanda al klaar bij de draaideur van het St. Elisabeth Ziekenhuis. Het is een warme nazomerdag. Mario draagt een korte broek, aan zijn pols bungelt een verfrommeld plastic tasje. Daar zit een wit potje in waar hij straks zijn zaad in zal opvangen. Femke is vandaag bij oma.

Zwijgend lopen ze door de lange gangen. Het mobieltje van Mario piept. 'Ik denk aan jullie, liefs C,' staat er in de sms van Jolanda's zus.

Jolanda is heel humeurig geweest de laatste weken, van de medicijnen. Een paar dagen geleden was ze de was aan het ophangen, haalde Femke alles er aan de andere kant weer af. Toen is ze tegen haar uitgevallen.

Vandaag is het niet veel beter. Eerst moet Mario aan het werk. Hij meldt zich bij de receptie van het lab. 'Goedemorgen,' zegt hij joviaal. 'Ik heb een kamertje gereserveerd.'

'Er komt iemand aan om u de weg te wijzen,' zegt de vrouw droogjes. Zwijgend zet ze een plastic potje op de balie. 'Heb ik al,' zegt Mario triomfantelijk, terwijl hij het tasje omhoog houdt. 'Vorige week meegekregen.'

Een laborant verschijnt. Ze schrijft iets op het potje van Mario en zegt: 'Loop maar mee.'

Jolanda heeft weinig oog voor Mario's vrolijke bui.

Als hij het kamertje in verdwijnt trekt hij een brede grijns. Maar Jolanda zegt: 'Vergeet niet je naam erop te schrijven.'

'Tot zo hè?' zegt hij door een kier van de deur. Jolanda is dan al onderweg naar boven, gangen door, trap op, richting de wachtkamer van Fertiliteit. Ze is bang om te laat te komen. Twee oude mannetjes die met hun rollator de weg versperren krijgen weinig compassie. In de wachtkamer zegt ze: 'Ik haal pas weer adem als ik weet dat ze mijn eierstokken kunnen vinden.'

Deze week zijn ze een paar keer in het ziekenhuis geweest om met een echo te kijken hoe de eiblaasjes zich ontwikkelen. Daar deed zich een probleem voor. Jolanda's eierstokken waren hoog gaan liggen, waardoor de arts er moeilijk bij kon tijdens de inwendige echoscopie. Ze kon niet goed zien hoeveel eitjes zich aan het ontwikkelen waren. Wel zag ze dit weekeinde dat de follikels goed gegroeid waren. Dat was het moment waarop ze de dag vaststelden waarop Pregnyl gespoten moest, de enige injectie met een echte spuit in het icsi- en ivf-proces. Een vriendin van Jolanda die bejaardenverzorgster is kwam daarom eergisteren langs. Zelf dagelijks Gonal F (fsh) prikken met de injectiepen vindt ze geen probleem. Maar zo'n lange naald die de buik in moet – liever niet.

Pregnyl (hcg) bevordert de eirijping en het losser maken van de eicellen in de follikels – het blaasje dat om de eicel heen zit. Het luistert in deze fase van de behandeling allemaal erg nauw. De punctie moet binnen zesendertig uur na die hcg-injectie plaatsvinden, anders is de follikel opengesprongen en verdwijnen de eicellen de eileider in.

Maar bij Jolanda kon de arts de eierstokken eergisteren bijna niet zien. Na een paar keer heel hard springen waren ze iets naar beneden gezakt. Dat was toen niet zo'n probleem. Wél een probleem zou het zijn als ze vandaag, op de dag van de punctie nog zo hoog liggen. De naald moet straks dwars door de vaginawand heen, de eierstok in. Daar liggen de follikels. Als de eierstokken van Jolanda nog naar boven liggen, haalt de naald het niet, laat staan dat ze ze met een inwendige echo kunnen zien. Er is dan nog maar één optie en dat is de eierstok van de andere kant benaderen: met de naald dwars door de buik prikken. 'Dat komt bijna nooit voor,' had de arts tegen Jolanda gezegd. Toen was ze zich écht zorgen gaan maken. Zou het nóg meer pijn doen dan een gewone punctie? En is deze poging eigenlijk al mislukt? In haar hoofd wel. Ze lijkt het zelfs al te verwerken. 'Nog maar twee pogingen,' zegt ze. 'Dat denk ik steeds.'

Ze heeft in de krant gelezen dat de artsen twee embryo's terug moeten plaatsen als de patiënt dat wil. Dat wil ze graag. Niet omdat ze een tweeling wil, maar omdat ze hardnekkig blijft geloven dat ze dan meer kans heeft. Bij haar vorige poging, waar Femke het resultaat van is, plaatsten ze er ook twee terug. Dát is haar ijkpunt.

Ze kijkt naar de klok. Over tien minuten is haar afspraak. 'Hij is zo terug,' zegt ze zelfverzekerd. 'Mario is nog nooit te laat geweest.'

Een paar minuten later komt hij binnenlopen. 'Zó, jij zweet,' zegt Jolanda. 'Was het een goed boek?'

'Er lag zó'n stapel,' zegt Mario met vlakke hand in de lucht. 'Ik heb ze wel effe ingekeken ja.' Hij slaat zijn armen over elkaar.

'Voor jou zit het erop,' zegt Jolanda opeens verwijtend.

Het wachten lijkt plotseling weer heel lang te duren. In de ruimte zitten nog twee stellen. Iedereen doet hier of ze elkaar niet zien. De deur van het wachtkamertje staat open. Het biedt zicht op de gang van de kraamafdeling. Een puffende vrouw wordt door haar man in een rolstoel voortgeduwd. Aan zijn arm bungelt hoopvol een lege MaxiCosy.

'Meneer en mevrouw Godrie!'

Als Jolanda haar kleren uittrekt in de kleine kleedkamer loopt de verpleegster binnen met een spuit. Het is het verdovingsprikje. Staand krijgt ze de injectienaald in haar dijbeen.

Mario levert het dossier in bij de arts. Samen nemen ze de medicijnen nog eens door die Jolanda na de punctie moet innemen. Straks moet ze twee keer per dag vaginaal twee Progestan-capsules inbrengen. Het bevat het hormoon progesteron, dat vrouwen in de tweede helft van hun cyclus aanmaken om het baarmoederslijmvlies in optimale conditie te houden voor de innesteling. Maar omdat met Lucrin, het medicijn dat Jolanda de afgelopen weken dagelijks heeft ingespoten, de hersenactiviteit die de cyclus regelt wordt stilgelegd, moet deze na de punctie kunstmatig op gang gebracht worden. Anders is de baarmoeder niet goed uitgerust voor de innesteling.

Het is vol in de kleine ruimte. De behandelstoel, de apparaten erachter, een groot schot met daarachter de werkplek van de laboratoriumanaliste, die nu geruisloos binnenloopt. Mario neemt plaats op een stoel naast het echoapparaat, arts en verpleegkundige doen hun handschoenen aan en Jolanda loopt slechts gekleed in een kort T-shirt wat beschaamd de ruimte binnen.

'Vijf keer springen,' zegt de arts. Jolanda hupst op en neer in de kleine ruimte. De laboratoriumanaliste zit zwijgend achter een schot met haar drie horlogeglaasjes. Ze peutert aan een tand en staart naar buiten. De verpleegster somt nog even op: 'Woensdag tussen half tien en elf bellen we je. Dan hoor je hoeveel embryo's we hebben en wanneer we ze terugplaatsen.'

Puffend laat Jolanda zich in de behandelstoel vallen en eindelijk kan de zoektocht van de arts beginnen.

'Nu eerst de eendenbek,' zegt de arts. 'Dat is even fris. We gaan rustig beginnen. Als het niet gaat, stoppen we even.'

Ze duwt.

Dan stopt ze weer.

Jolanda krijgt de plaatselijke verdoving. 'Als je hartkloppingen krijgt, moet je het zeggen,' maant de verpleegster.

De arts gaat verder. De echosonde glijdt naar binnen. Het verlossende woord: 'Hier hebben we rechts, links ligt wat hoger. We beginnen dus met rechts, die is makkelijker.'

Jolanda kijkt met grote ogen naar Mario. Niet via de buik dus. Ze heeft deze poging weer terug.

De laboratoriumanaliste komt vanachter haar schot vandaan. Ze staat klaar om de follikelvloeistof straks in ontvangst te nemen. De arts krijgt een lange naald aangereikt met eraan een slangetje en dan een buisje. 'Daar gaan we,' zegt ze. 'Een, twee, drie.' Jolanda knijpt haar ogen dicht, de naald glijdt naar binnen. Op de echo zien we hem recht op het doel af gaan. Minuscule blaasjes waar de naald heel even tegenaan duwt. Prik, prik, prik. Een gele vloeistof druppelt het buisje in. Het is het vocht

dat de follikel opzuigt tijdens de rijping. Erin drijft de eicel. De arts begint hardop te tellen. 'De derde hebben
we, nu de vierde. Je doet het goed joh.' Als de vloeistof
rood kleurt, een teken dat de follikel leeg is, zegt ze: 'Ik
haal de naald eruit. Perfect.'

De laboratoriumanaliste pakt het buisje uit de hand
van de arts en loopt naar haar werkplek. Trefzeker leegt
ze de inhoud in een horlogeglas. Ze tuurt door de microscoop terwijl ze door de vloeistof roert.

De arts werkt door. 'Ik ga nu een beetje duwen om
links in beeld te krijgen.' De laboratoriumanaliste vist
de eicellen uit de vloeistof. De arts praat door: 'Oké, we
hebben 'm in het vizier. Een, twee, drie... Het gaat goed
hoor. Bij jou ook?'

Ja, knikt Jolanda.

De laboratoriumanaliste roept vanachter haar scherm:
'Ik heb de eerste vier eicellen!'

'Mooi zo,' roept de arts. 'Ik zie er nog een paar. Dit
zijn de laatste loodjes.'

De laboratoriumanaliste haalt weer een buisje op bij
de arts. Ze schrijft er met een stift de achternamen van
Mario en Jolanda op, zet hem in de stoof en werkt geconcentreerd door.

'Nou jongens,' roept de arts, 'perfect gedaan hoor.' Ze
haalt de naald en de sonde uit Jolanda. Jolanda blijft
rustig liggen. De verpleegster maakt haar een beetje
schoon van onderen. Iedereen heeft zijn oren gespitst op
nieuws vanachter het schot, waar de laboratoriumanaliste naarstig doorzoekt. 'Zeven,' roept ze.

'Tot nu toe,' fluistert de arts. 'Ze is nog bezig.'

'Hoeveel worden het?' vraagt Jolanda.

'Ik weet het niet, ze is nog bezig.'

'Ik heb er nu acht!' klinkt het weer vanachter het scherm.

Mario knikt tevreden. Dat is een prima score. Jolanda staat op. Ze schuifelt heel voorzichtig richting kleedkamer.

'Negen!'

'Zo!' roept Mario uit.

Een paar minuten later laat Jolanda zich in een zachte stoel glijden. Zij en Mario zitten achter twee thermoskannen in het bijkomkamertje. 'Dat viel me honderd procent mee,' verzucht ze.

Mario schenkt thee voor haar in. De verpleegster vertelt nog één keer over de Progestan die Jolanda twee keer per dag moet inbrengen om de baarmoeder te prepareren voor de innesteling. Ze geeft ook vier paracetamolzetpillen mee, tegen de pijn. Nu mag Jolanda die nog gebruiken, over een paar dagen, na de terugplaatsing van de embryo's, niet meer. Vanaf dat moment moet ze leven alsof ze zwanger is.

De laboratoriumanaliste loopt binnen met goed nieuws. 'Het zijn er tien geworden.' Ook heeft ze net gebeld met haar collega's in het lab beneden over Mario's zaad. Het is goed genoeg voor icsi. Ze kunnen aan de slag.

De arts en verpleegkundige nemen afscheid van Mario en Jolanda.

'Ik voel me net een *hetje*,' zegt Jolanda plotseling. 'Ik heb geen eitjes meer. Alles blijft hier en ik ben leeg.'

23

De icsi van Mario en Jolanda

Volgens het protocol van het Tilburgse lab moet drie uur na aanvang van de punctie de icsi plaatsvinden. De laboratoriumanaliste heeft dus ruim de tijd. Als ze door de gang loopt van de afdeling Fertiliteit naar het lab, draagt ze de drie reageerbuisjes met de eicellen van Jolanda Godrie in één hand, ingeklemd tussen afzonderlijke vingers. De eicellen liggen onder in de buisjes, in een paar druppels medium. De buisjes zitten goed dicht, daarom vindt ze het niet eng. 'Met embryo's lopen is veel enger,' zegt ze. 'Die liggen in schaaltjes.'

In het lab stapt ze voorzichtig over een losse kabel heen en zet de buisjes met de eicellen van Jolanda in een rekje. Ze gooit er een leeg in een schaaltje, schuift het glas onder de microscoop en begint met een naald de blaasjes schoon te steken. Daarna legt ze ze grof schoongemaakt in de stoof, waar ze even moeten rijpen. Twee bakjes, met elk vijf eicellen. Straks zal haar collega Suzan Saeed ze eruit halen. Zij doet de icsi.

De laboratoriumanaliste sluit de deur van de stoof en doet haar mondkapje af. 'Zo, dat was het,' zegt ze. 'Nu koffie.'

Een paar uur later gaat er een wekker af. Nu is het tijd voor het precisiewerk: de icsi. Suzan Saeed begint met de voorbereidingen. Ze gaat even proefzitten achter het icsi-apparaat, een microscoop met twee grijparmen: een stompe naald die de eicel vasthoudt en een scherpe naald die het zaadje erin prikt. Ze zet beide naalden in de juiste stand, kijkt op de klok aan de muur en schrijft de tijd op.

Dan gaan de eicellen van Jolanda nog even in een andere vloeistof, hyaluronidase, een enzym dat de cumulus verwijdert. Daar mag het niet te lang in liggen, anders beschadigt het de eicel.

Daarna gaat ze de eicellen nóg beter schoonmaken om te voorkomen dat er restjes cumulus mee naar binnen worden gespoten. Met een rietje zuigt ze een van de eicellen op. Dat doet ze met haar mond. Ze zuigt de eicel heen en weer, heen en weer. De wanden van het rietje schuren het allerlaatste beetje cumulus weg. Haar wangen bollen zich en vallen in, bollen en vallen. Haar concentratie is enorm. Niets in de ruimte beweegt meer. Ze werkt snel, maar rustig. De klus is verdeeld in twee schaaltjes van vijf, dat is het protocol voor icsi.

Als ze het resultaat onder de microscoop bekijkt, is ze tevreden. Ze zijn schoon en hebben alle vijf een poollichaam, een teken dat ze genoeg gerijpt zijn om bevrucht te kunnen raken.

Nu gaat ze vijf zaadcellen van Mario selecteren. Eén microliter zaad heeft heel even in stroperige vloeistof gelegen. Ze bewegen zich nu moeilijker zodat Suzan ze makkelijker kan pakken. Beweeglijkheid van het zaad speelt nu geen rol meer. De naald van Suzan neemt die functie over. Een gaaf exemplaar wiebelt onder haar glas door. Dat gaat 'm worden. Met de naald geeft ze deze een tik tegen de staart. 'Dan gaat hij stil liggen.' Als hij niet meer beweegt, zuigt de naald hem op. Ze zucht even en zet haar ogen dan weer tegen de kijkers van de microscoop. 'Oké, nog vier.'

Nu ze allemaal in de naald klaarliggen, tuurt Saeed door de microscoop naar de eerste eicel die bevrucht gaat worden. 'Hij is mooi,' zegt ze. Met de naald duwt ze een paar keer tegen de eicel, net zo lang tot het poollichaam op twaalf uur ligt. Ze zuigt hem vast met de holding, een stompe naald, zodat het niet meer kan bewegen.

Ze ademt diep in.

En dan, plotseling, volgt er weer een duw tegen het eitje. Trefzeker duwt ze de naald naar binnen, precies op de plek waar ze zo dicht mogelijk op het genetisch materiaal zit maar het nét niet beschadigt. Ze houdt de boel één seconde stil en spuit het zaadje erin. Langzaam trekt ze de naald eruit en is de icsi voltooid.

Ze ademt rustig uit.

Drie minuten later heeft ze de tweede icsi gedaan. Zwijgend voltooit ze de laatste drie.

'Ik vond de laatste niet zo mooi,' zegt ze als ze het formulier van de icsi-behandeling invult. Achter nummer vier schrijft ze: 'Niet zo mooi.'

Ze plaatst de geïnjecteerde eicellen in een schoon bakje en zet ze in de stoof. Precies zo gaat het bij het volgende bakje van vijf. Morgenvroeg controleert Marcel Peeters ze, die weekenddienst heeft. De ivf-kliniek draait zeven dagen in de week. 'Toen ik dit net deed, belde ik altijd in het weekend: heb ik het goed gedaan?'

Nu, na twee jaar, kan ze wachten tot maandagochtend.

24

De risico's

Het is eigenlijk een wonder dat ivf er ooit kwam. De meeste nieuwe medische technieken worden eerst uitgebreid getest op een reeks proefdieren. Bij ivf was er eerst een konijn en toen kwam Louise Brown. Als het nu zou zijn uitgevonden, zou het nog zeker een decennium duren voordat het op mensen zou mogen worden toegepast.

Hetzelfde geldt voor icsi. Dat werd ontdekt door een ivf-onderzoeker die per ongeluk in een eicel prikte. Na 'zeer beperkt onderzoek', aldus de Gezondheidsraad, werd het op mensen toegepast. Ook bij cryopreservatie, het terugplaatsen van embryo's die bevroren zijn geweest en mesa/tese, een splinternieuwe techniek waarbij ongerijpte spermacellen uit de bal worden gehaald, zijn veel stappen overgeslagen in het onderzoekstraject. Het bevond zich nog in de experimentele fase toen het al werd toegepast op mensen. Die fase is het nooit uitgekomen omdat er geen langetermijneffecten zijn gemeten. De druk van de vraag was te groot.

Gelukkig dus dat de risico's van ivf en icsi wel mee lijken te vallen. Louise Brown werd geboren, maar niemand wist zeker of ze ook gezond zou zijn. De opluchting was groot toen er een normaal kind uit kwam. Maar de artsen konden pas écht opgelucht ademhalen toen bleek dat Louise en haar zus Natalie op natuurlijke wijze zwanger waren geraakt. Dat was pas een paar jaar geleden – in 1999.

De eerste ivf-kinderen worden nu dertig. Er zijn er drie miljoen op aarde. Maar nog steeds is er relatief weinig langetermijnonderzoek naar ze gedaan. Langzaam druppelen de resultaten binnen. Tot een leeftijd van vijf jaar werd er geen verschil gezien in motorische en intellectuele ontwikkeling bij ivf-kinderen. Een kleinere groep is tot acht jaar gevolgd, ook daar deden zich geen verschillen voor met een controlegroep.

Wel is het zo dat zich bij ivf-zwangerschappen iets vaker problemen voordoen. Ze krijgen twee keer vaker een zwangerschapsvergiftiging en hebben veel vaker problemen met de placenta. Ook het risico op een vroeggeboorte en een laag geboortegewicht verdubbelt, maar dat komt grotendeels door het hoge aantal tweelingen. Ondanks het beleid van één embryo terugplaatsen was er in 2005 bij 18,5 procent van de ivf- of icsi-zwangerschappen sprake van een tweeling. Meer ivf-kinderen belanden op een intensive care-afdeling dan bij een normale bevruchting. Niemand weet precies hoe dat komt. Er zijn wel aanwijzingen dat de ovariële hyperstimulatie, het aanmaken van meer dan één ei, hierbij een rol speelt. Dat denken ze omdat kinderen uit ingevroren embryo's die op de natuurlijke cyclus zijn ingenesteld, deze problemen niet hebben. Ook zijn er iets meer aangeboren afwijkingen bij ivf- of icsi-kinderen, maar dat lijkt weer niets met de behandeling zelf te maken te hebben. Vermoed wordt dat de verminderde vruchtbaarheid op zich de veroorzaker is.

Dat geldt ook voor Mario Godrie. Als hij en Jolanda

met icsi een zoon krijgen, kan hij eenzelfde soort afwij-
king in zijn sperma hebben, iets wat de natuurlijke selectie probeerde te voorkomen. Een klein percentage van
de jongetjes onder de vierhonderdduizend icsi-kinderen
die wereldwijd rondlopen krijgt daarmee te maken. De
oudsten zijn nu tien. 'Ik zal hem over dat risico moeten
vertellen als hij een bepaalde leeftijd heeft,' zei Mario
daarover. 'Dat gesprek lijkt me best moeilijk. Het is een
behóórlijke domper als je hoort dat maar elf procent van
je zaad goed is.'

'Ach,' zegt Jolanda, 'wie weet hoe ver de techniek dan
is.'

25

De terugplaatsing van Mario en Jolanda

Twee dagen na de icsi belt een vrolijke Jolanda op. Ze heeft net het fertiliteitssecretariaat gesproken. Van de tien eicellen die ze bij de punctie hebben verkregen, zijn er zeven bevrucht. Zes daarvan zijn van goede kwaliteit. En twee zijn al flink aan het celdelen geslagen.

Morgen mag ze komen, dan krijgt ze er een of twee teruggeplaatst, afhankelijk van hoe ze zich vannacht ontwikkelen. De rest wordt ingevroren: drie embryo's per rietje. 'Dus we hebben sowieso een setje van drie cryo's,' rekent ze vlug uit. 'Tot morgen!'

Op hetzelfde moment dat Mario en Jolanda zich op deze middag melden bij de afdeling fertiliteit, haalt Angelique Marcelissen een verdieping lager voorzichtig een schaaltje uit de incubator. Ze plaatst het in een doosje van piepschuim. In haar borstzak doet ze een reageerbuisje met kweekmedium. Ze duwt er zachtjes tegenaan. 'Daar blijft het lekker warm.'

Marcel Peeters heeft vanmorgen besloten er maar één terug te plaatsen. Er waren er twee van zodanig goede kwaliteit dat het risico op een tweeling te groot zou zijn als hij die beide terug zou plaatsen. De resterende zes embryo's blijven achter in de stoof. Later deze week zal worden besloten of ze worden ingevroren.

Voor Angelique komt nu het moment dat haar werk zo veel leuker maakt dan ander labwerk: het contact met mensen, hoe minimaal ook. Het is een stevige wandeling naar de behandelkamer waar de terugplaatsing zal gebeuren. In de lange gangen van het ziekenhuis is het druk. Al die tijd houdt ze het piepschuimen doosje recht voor zich uit. Een jongetje raast door de gangen in een rolstoel op haar af. Angelique kan hem nog net ontwijken. 'Als er nu iets gebeurt met deze embryo's,' zegt ze, 'is al het werk voor niks.'

Ze drukt op het liftknopje van de eerste verdieping en loopt helemaal naar achteren. 'Nóóit voor in de lift gaan staan,' doceert ze. 'Stel dat er iemand op het laatste moment de lift in holt.'

In de behandelkamer is de arts nog bezig het dossier te bekijken. Ze kijkt niet op als Angelique binnenloopt. Stilletjes neemt ze plaats achter een schot waar een kleine werkplek is.

De baarmoeder van Jolanda is al eerder opgemeten. Daardoor weet Angelique hoe lang de sonde moet zijn die de arts straks naar binnen brengt. 8,5 centimeter is het naar de bovenkant van de baarmoeder. De sonde moet dus 6,5 cm zijn, want het embryo moet twee centimeter onder de bovenkant geplaatst worden. Althans, dat lijkt op dit moment de beste methode.

De baarmoederholte is eigenlijk geen holte, maar lijkt meer op twee boterhammen die tegen elkaar aan liggen. Daar kan een embryo behaaglijk tussen gaan liggen. Tot tien jaar geleden werd het embryo in sommige klinieken nog tegen de bovenwand teruggeplaatst, tot in Leiden werd ontdekt dat één arts een hoger slagingspercentage had met ivf. Die bleek de embryo's juist in het midden van de baarmoeder te plaatsen. Onderzoekers denken dat het kwam doordat het aanraken van de bovenwand krampen veroorzaakt waardoor de innesteling moeilijker is. Nu plaatst niemand ze meer tegen de bovenwand.

Met een viltstift plaatst Angelique een dikke streep op 6,5 centimeter op het slangetje waarmee het embryo straks de baarmoeder in gebracht wordt. Als de arts die streep straks in de baarmoedermond ziet verdwijnen weet ze dat ze ver genoeg is. Ze doet een mondkapje op, vouwt haar handen en wacht tot haar rol begint.

Mario en Jolanda komen binnen. Als ze nog in de deuropening staan vraagt de verpleegkundige hun hun naam hardop te zeggen. Angelique kijkt op het formulier en knikt. Dit is de controleprocedure.

Jolanda klimt op de behandeltafel en legt haar benen in de beugels. De arts vraagt: 'Je hebt begrepen dat we er een terugplaatsen hè?'

De verpleegkundige vraagt Mario hoe het met hen gaat sinds de punctie eerder deze week. Hij vertelt dat Jolanda deze keer weinig last heeft gehad.

'Oké, dan gaan we beginnen,' zegt de arts plechtig.

Angelique komt vanachter haar scheidingswand vandaan en knikt met gepaste afstand naar Mario en Jolanda. Ze overhandigt het slangetje met het embryo aan de arts.

De arts duwt de slappe buis er snel in bij Jolanda en kijkt mee op de monitor van de echo. Terwijl ze zoekt naar de beste plek om het embryo te plaatsen, vraagt Jolanda of ze iets kan doen om ze beter te laten zitten. 'Gewoon doen wat je normaal doet,' zegt ze en ze geeft Angelique het teken. Daarop drukt Angelique met een ferme duw de slang leeg.

Het begin van een leven ligt nu in Jolanda's baarmoeder.

De arts trekt het slangetje er weer uit, Angelique neemt 'm aan, loopt terug naar haar werkplek achter het scherm en bekijkt de slang onder de microscoop: een allerlaatste controle om te kijken of het embryo echt niet ergens in het slangetje is achtergebleven.

De arts wacht tussen de benen van Jolanda op de uitslag. Ze draait de echosonde in de vagina van Jolanda. 'Daar zit-ie ergens,' zegt ze. 'Maar hij is te klein om te zien.'

Zwijgend turen Mario en Jolanda naar de monitor. Hij houdt haar hand vast.

Dan roept Angelique vanachter het scherm: 'De slang is leeg!'

'Dat is wat we willen horen,' zegt de arts en haalt de sonde uit de Jolanda. 'Het ziet er prima uit. Nu wordt het opgenomen door het lijf.'

Jolanda kleedt zich aan. 'Eind deze maand weten we het,' zegt de verpleegkundige. 'Maar dat had je natuurlijk allang uitgerekend. Eens even kijken wanneer jullie mogen bellen voor de uitslag. De zevenentwintigste komen jullie voor de bloedprik, een dag later weten we of het gelukt is.'

Jolanda wil het nog een keer weten: 'Als ik eerder bloedverlies heb, dan ga ik ervan uit dat het niet gelukt is hè?'

'Ja,' zegt de verpleegkundige, 'maar je weet het nooit zeker. Dus gewoon doorgaan met de Progestan.'

'Na hoeveel tijd merk je het?'

'Als het niet goed is, word je op de tiende tot veertiende dag ongesteld. Meestal is het wel duidelijk. We maken nu vast een afspraak op de poli voor over vijf weken. Of je nou wel of niet zwanger bent, we maken die afspraak sowieso. Als je zwanger bent, zeggen we 'm gewoon af. Als het niet goed is, dan gaan we praten over hoe we verder gaan.'

'Nou,' zegt Jolanda. 'Op goed geluk dan maar hè?'

Angelique komt vanachter haar schot vandaan en geeft ze beiden een hand. Terug in het lab staan haar collega's al klaar met in hun hand ieder een appeltje en een schilmesje. 'We hebben op je gewacht,' zeggen ze. Het is theepauze.

Na afloop zitten Mario en Jolanda tegenover elkaar in de lunchroom van het ziekenhuis. Mario heeft een gebakken ei besteld en Jolanda een broodje zalmsalade. 'Om het toch maar te vieren hè?' zegt ze aarzelend.

Nog steeds lijkt ze ervan overtuigd dat deze poging verloren is. Ze telt af. Twee weken heeft ze vrij genomen, omdat ze niet wil tillen op haar werk in de eerste weken, tijdens de innesteling en de eerste dagen. Vanaf dag veertien gaat ze weer aan het werk. 'De dagen dat het fout gaat,' noemt ze die. 'Woensdag is dag vijftien, dan heb ik een etentje van mijn werk. Donderdag is dag zestien. Dan is er een feest van Mario's werk. Hoe ga ik dat ervaren? denk ik steeds. Hoe zal het zijn?'

Over twee weken zal ze het weten.

Maar een week later gaat de telefoon al. Jolanda. Ze is overstuur. In een keer stort ze een brij aan informatie uit. Er is een brief gekomen van het ziekenhuis dat de andere zes embryo's niet goed genoeg waren om te vriezen. Ze denkt nu dat het embryo dat in haar buik zit, ook niet goed zal zijn. 'Een andere verklaring is er toch niet?' Ze raast door. 'Ik kan er niet tegen als niet alles volgens het boekje gaat, dat weet ik wel, maat dit is gewoon geen goed teken, toch? Toch?'

Het is vrijdagmiddag, het secretariaat van verpleegkundigen is niet meer bereikbaar. Die hadden vast een heldere uitleg gehad.

Als Rob Bots later hoort dat patiënten die zo'n brief krijgen, denken dat het embryo dat is teruggeplaatst óók van mindere kwaliteit zal zijn, zegt hij: 'Dat is in zekere zin ook zo.' De kwaliteit van de eicellen varieert per cyclus.

Dat weet Jolanda nu nog niet.

Vorige keer bij Femke, voor haar De Keer Dat Alles Goed Ging, ging het heel anders. Toen waren alle embryo's van goede kwaliteit. Ze heeft werkelijk het gevoel dat deze poging mislukt is. Ze zegt steeds: 'Nog maar twee hè? Nog maar twee pogingen.'

Ze is behoorlijk in paniek. Ze zegt nu ook dat ze buikpijn heeft, het gevoel dat ze ongesteld moet worden. Dat is onwaarschijnlijk, want ze moet pas over een week ongesteld worden. Maar ze houdt vol. Ze weet het zeker. Ze hangt op.

Twee dagen later, op zondagochtend, een mailtje.

Subject: Helaas.

Hoi Barbara,

Bij dezen wil ik je even meedelen dat de poging om een broertje of zusje voor ons Femke te krijgen helaas gisteravond mislukt is.

De groeten van Mario, Jolanda en Femke.

Die middag neemt Mario de telefoon aan en zegt: 'Donderdag zei ze: ik heb het gevoel dat het niks wordt. Ze voelde wat ze elke maand voelt.' En toen begon ze te bloeden.

Ze hebben besloten dat ze een pauze nemen. De zomer is bijna voorbij, voor je het weet zit je weer rond de Kerst midden in een behandeling. Dat hebben ze een keer meegemaakt, nu wachten ze liever tot volgend voorjaar.

Jolanda komt aan de telefoon, ze klinkt moe. Ze ziet er tegen op om volgende week naar het ziekenhuis te gaan. Ze willen per se dat je bloed komt prikken na een behandeling. Wéér dat hele eind rijden. 'Het zijn de rotste ritjes van allemaal,' zegt ze. 'Erheen moeten om het af te ronden, terwijl je weet dat het voor niks is.'

Wel heeft ze het ziekenhuis inmiddels gesproken over de embryo's die ze niet wilden invriezen. 'Die in mijn buik was prima. Alleen die anderen wilden niet goed delen.' Ze is blij te weten dat ze het dus nog wel kan, goede embryo's fabriceren. Maar ze is de schrik nog niet te boven. Opeens roept ze uit: 'Deze keer is veel erger dan de vorige keer.' Toen had ze Femke nog niet, legt ze uit. 'Nu weet ik hoe mooi het is om een kind te hebben.'

26

De uitslag van Kris en Wendy

Op een woensdagochtend in oktober is het moeilijk Wendy aan de telefoon te krijgen. Vanmorgen zou het ziekenhuis naar Biezenmortel bellen met de uitslag van de zwangerschapstest van haar tweede ivf-poging. Ze is in gesprek.

Het zijn zware weken geweest. Eerst was er de punctie, waarbij zes eicellen zijn weggehaald. Vier ervan hebben zich tot embryo ontwikkeld, twee zijn teruggeplaatst, de andere twee mochten nog een paar dagen rijpen voor ze ingevroren zouden worden. Op de dag van de punctie kreeg Wendy's zus Mirella een zoon. 'Ik ben zo trots!' riep ze door de telefoon. 'Ik ben vandaag wéér geweest. Overal hangen foto's van hem.' Ze kijkt erg uit naar de dinsdagen waarop zij voor haar neefje zal zorgen als Mirella straks weer gaat werken. 'Kris is ook heel blij. We gaan hem gruwelijk verwennen.'

Na de terugplaatsing van de twee embryo's begon de wachttijd met slecht nieuws. Ook Wendy kreeg een brief dat de embryo's die over waren niet zouden worden ingevroren. Ze waren niet goed genoeg. 'Daar schrok ik ontzettend van. Ik kreeg meteen buikpijn. Ik voelde gewoon: dit is niet goed.'

Maar na een paar dagen gebeurde er iets anders, iets wat ze niet eerder had meegemaakt. 'Ik at Chicken Tonight, van die zoete kip,' vertelt ze geheimzinnig. 'Kris heeft er een hekel aan, ik vind het héérlijk, dus ik maakte het toen hij weg was.' En toen gebeurde het: 'Ik at het en ik vond er niet zo veel aan.' Ze vertelde het een collega en die zei: dat had ik ook toen ik zwanger was. 'Nou, toen voelde ik het gewoon.'

Dat was zondag. Maandag ging ze naar het ziekenhuis voor de bloedprik. Vandaag, woensdag, belt het ziekenhuis om te zeggen of ze zwanger is of niet.

Ze was nog een paar keer in gesprek, ze nam een keer niet op. Maar in de loop van de ochtend komt ze toch aan de lijn. Ze klinkt afstandelijk. 'Het is niet gelukt,' zegt ze. 'Ik ben niet zwanger.'

Verder zwijgt ze. Op vragen geeft ze kort antwoord. Ze hangt op.

Een paar dagen na het slechte nieuws belt Wendy terug. 'Het spijt me,' zegt ze, 'het spijt me zo. Ik heb gelogen. Ik ben zwanger.'

De ochtend dat het ziekenhuis belde met het goede nieuws, kon ze het gewoon niet geloven, zegt ze. 'Ik durfde niet meer te hopen. We zijn al tweeënhalf jaar bezig. Is het echt? denk ik de hele dag. Is het echt?'

Ze heeft tegen iedereen gelogen: haar zus, haar schoonouders – iedereen die wist dat woensdag de uitslag kwam. Vandaag zet ze het bij iedereen recht. Alleen haar vader weet nog helemaal van niks. Maandag, als ze hun eerste echo hebben gehad, dan rijden ze door naar zijn huis om het hem te vertellen. De rest heeft het gisteravond gehoord. 'We zijn helemaal in de wolken!'

Een paar weken later zitten Kris en Wendy in de woonkamer. Wendy wrijft over haar buik. 'Dertien weken,' zegt ze trots.

'Het is al een kindje, hoor,' zegt Kris en laat de echo zien. 'Met armpjes en beentjes.'

De andere embryo in haar buik heeft het niet overleefd. Ze waren beide van iets mindere kwaliteit. Meer dan ze allebei terugplaatsen kon het ziekenhuis niet doen, daarna moesten ze zien te overleven in de duistere wereld van het begin van het leven, waar de wetenschap nog steeds niet bij kan.

In het begin had Wendy ook gelogen tegen haar oma, die het 'slechte nieuws' al gehoord had van Wendy's zus. Oma had tegen Mirella gezegd: 'Ze hebben het mis in het ziekenhuis! Ze moet zelf een test doen. Heb je gezien hoeveel ze eet?'

Maar toen het slechte nieuws was doorgedrongen zei oma: 'Alles was goed bij ze en toch werkte het niet. Ze moeten accepteren dat het niet lukt.'

Wendy zat ondertussen met haar schuldgevoel thuis. Kris zei: 'We rijden er nú heen, want nog zes weken je mond houden lukt tóch niet.'

Wendy was toen net over haar shock heen. 'Op het moment dat het ziekenhuis belde, verwachtte ik dat de uitslag positief zou zijn. Mijn lichaam veranderde. Ik dronk opeens koffie. Maar ik was al vier keer teleurgesteld, dus ik hield het echt nog even weg.'

Ook Kris durfde niet ver vooruit te kijken: 'Ik dacht alleen maar: zwanger worden kan dus via deze weg. Ik dacht nog niet aan een kind. Ik zag het als nieuwe informatie waarmee we straks weer keuzes voor het vervolg van de behandeling konden maken.

Maar nu is het echt. De celdelingen zijn al niet meer te tellen. Vanaf nu spreken de artsen over centimeters: bijna tien. Het heeft al een gezichtje, zag Wendy vorige week nog op de schimmige beelden van de echo. Ze kunnen nu zelfs al zien op een echo of het kindje het syndroom van Down heeft. Maar Kris en Wendy hebben besloten geen nekplooimeting te laten verrichten. Een kind met Down zouden ze niet weg laten halen. 'Je doet er tweeënhalf jaar over om zwanger te worden,' zegt Wendy. 'En dan zou het niet goed genoeg zijn?'

27

Mirjam en Steven in hun nieuwe huis

Na een lange provinciale weg, is er een klein rotondetje. Wie daar rechtsaf slaat, komt uit op een hoge dijk met aan weerszijden huizen. Helemaal aan het einde ervan, vlak voor je het dorp weer uitrijdt, staan in een kale zandvlakte vier nieuwe vrijstaande huizen met een bruggetje ervoor. Daar wonen Steven en Mirjam sinds twee weken. Ze staan in de voordeur en zwaaien in het donker. Er is een heldere maan. Meteen bij binnenkomst beginnen ze de rondleiding.

Ze hebben tussen de drukte van de verhuizing, het schema van Steven met elke avond sporten en de confectiebeurzen en buitenlandse reizen van Mirjam tijd weten te maken om het in korte tijd helemaal ingericht te krijgen.

Alles ruikt nieuw. Een diepe zitbank, zo groot dat deze bijna de hele woonkamer in beslag neemt, staat voor een brandende open haard. Boven de glazen salontafel hangt nog een kaal peertje. De muren zijn leeg.

Eronder, de tuinverdieping van het huis, is de keuken. Een hele wand met houten kastdeurtjes en een gigantisch kookeiland. De eettafel met zes diepe stoelen lijkt nog het meest op een vergaderset – zo groot. Kaarsen, een kroonluchter en een servieskast met glas maken het af.

In de kapverdieping hebben ze een slaapkamer, een aparte kleedkamer met kasten en spiegels voor Mirjam en een logeerkamer. Dat is de kamer waar Mirjam niet aan durfde te beginnen. Het is een kleine ruimte, met schuin dak, een raam biedt uitzicht op het dorp. Er staat een kastje en een opgemaakt tweepersoonsbed, met twee losse lampjes ernaast. Mirjam haalt haar schouders op en zegt: 'Dit is 'm dan.' Dan loopt ze naar beneden, naar de keuken, waar ze in de pannen begint te roeren. Steven schenkt drankjes in.

'Ik heb wéér geen afspraak gemaakt met dokter Bots, hoor,' zegt ze door het geluid van de afzuigkap heen. 'Ik kan het er gewoon niet bij hebben nu. Je gaat er niet effe naartoe. Tot nu toe is er dus niks gebeurd.'

'Wel wat gebeurd,' protesteert Steven. 'Maar je bent niet zwanger.'

'Volgens mij gebeurt dat niet meer,' zegt ze.

'Je weet het nooit.'

'De kans is heel klein.'

'Maar er is wel een kans.'

'Héél klein hoor.' En dan streng: 'Jij hebt nog hoop.'

'Stille hoop,' zegt Steven.

De pannen vragen om Mirjams aandacht.

'Ze doet zo,' legt Steven uit, 'omdat ze het zich aantrekt dat ze mij geen kind kan geven. Daar hebben we van de week een lang gesprek over gehad. Ze vindt het erg voor mij en dan zegt ze dat we geen kans meer hebben.'

Mirjam zet de spinazie, vis en pasta op tafel en vertelt dat ze is opgehouden met elke dag een cijfertje in haar agenda te zetten.

'Dééd je dat?' vraagt Steven ongelovig.

Het huis is bijna af. De rust waar ze zo naar verlangden, ligt voor hen uitgestrekt. De golfbaan tegenover het huis lonkt. Wat gaan ze nu doen?

'De reisgidsen zijn binnen,' zegt Steven opgewekt. En toen ze zich inschreven in het dorpje waar ze nu wonen kregen ze een welkomstpakket van de gemeente, met fietsroutes erin. 'Die moeten we ook nog een keer gaan doen,' zegt Mirjam.

Steven ruimt de afwasmachine in. Mirjam is nog heel blij met haar werk. 'Ik zou wel iets minder willen werken, maar dat gaat nu eenmaal niet. Het is heel hectisch altijd, met al dat reizen en daarom verlang ik nu naar rust. Dat heb ik hier, rust. Dit huis, zoiets, was altijd mijn droom. Nu ben ik er. Het is goed zo.'

Ze heeft het gevoel dat ze voor het eerst in jaren weer een thuis heeft. 'Ik heb er twee jaar over gedaan om alles weer op orde te krijgen nadat het uit was met mijn ex. Toen ik Steven tegenkwam had ik eindelijk iemand die heel veel om me geeft, die een toekomst op wil bouwen, alles gaat zo makkelijk nu.'

Steven vertelt over zijn nieuwe studie. 'Ik was altijd erg van carrière maken, tot mijn ouders zo snel na elkaar overleden. Ik ging het even rustig aan doen. Maar nu ik Mirjam ken en zie wat voor drive zij heeft, heb ik er weer zin in. Ze stimuleert me om weer te gaan studeren. Ik volg nu een avondcursus. En laatst had ik een gesprek op het werk. Daar zeiden ze ook: je kan veel meer.'

'Je bent héél slim!' roept Mirjam.

'Ik ben de schade een beetje aan het inhalen,' vat Steven samen.

'Hij is veel opener geworden,' vindt Mirjam, 'hij was zo gesloten. Hij heeft nog één kamer met allemaal dozen uit zijn ouderlijk huis. Die moeten nu open. Dat is heel heftig allemaal. We zijn ervoor gaan zitten, dan vindt-ie toch wel fijn. Hij praat er nu over. Dit is voor hem echt een nieuw leven. Dat kunnen we heel goed samen.'

Steven sluit de afwasmachine en Mirjam ploft neer in een stoel. 'Wij gaan nooit meer uit elkaar,' zegt ze. 'En daarom zou het heel jammer zijn als we geen kind zouden hebben.'

28

Technieken in de toekomst

Elisabeth Edwards (55) is de vrouw van de Democratische senator Jack Edwards. Tien jaar geleden verloor ze haar zoon op zestienjarige leeftijd door een auto-ongeluk. Ze besloot niet bij de pakken neer te zitten en twee nieuwe kinderen te maken. Ze was achtenveertig toen Claire werd geboren en vijftig toen Jack kwam.

Toen haar man in de running was voor presidentskandidaat, maakte ze bekend dat ze borstkanker had in een vergevorderd stadium. Haar kinderen waren toen vier en zes. Het kan bijna niet anders of Edwards raakte zwanger met eiceldonatie, maar ze wil hierover niet meer kwijt dan dat ze een 'vruchtbaarheidsbehandeling' onderging en 'hormomen' heeft genomen. Miljoenen Amerikanen hebben haar levensverhaal verslonden. De maakbaarheid van een zwangerschap op hoge leeftijd staat in hun geheugen gegrift.

Ook in Nederland zal de vraag naar vruchtbaarheidsbehandelingen op hoge leeftijd voorlopig blijven toenemen, denken de meeste deskundigen. In 1975 was een kleine kwart van de moeders boven de dertig, in 2005 was dat vierenzestig procent.

Maar vooral het aantal vrouwen dat boven de veertig nog aan kinderen wil beginnen zal toenemen. Volgens een ruwe schatting is een op de vijf vrouwen van halverwege de veertig in rijke landen kinderloos, ofwel uit vrije wil, dan wel omdat de kans zich niet voordeed. In de Verenigde Staten steeg het aantal vrouwen die hun eerste kind kregen tussen hun veertigste en vierenveertigste de afgelopen vijftien jaar met zeventig procent. Daar werden in 2002 263 baby's geboren met een moeder die zelfs tussen de vijftig en de vijfenvijftig was. Het zijn vrouwen die geluk hebben gehad of die een truc uithaalden die steeds meer voorkomt: zwanger worden met eiceldonatie. Met eicellen van een jonge vrouw dus.

In Nederland gebeurt dit nog relatief weinig omdat commerciële eiceldonatie verboden is. Maar in de rest van Europa, met name in België en Spanje, komt het regelmatig voor: vijfduizend in 2002. In de Verenigde Staten is het inmiddels een florerende bedrijfstak geworden. In 2002 kregen daar twaalfduizend vrouwen – vooral oudere, hoogopgeleide vrouwen – een kind door eiceldonatie. Op internet kunnen wensouders foto's bekijken van de vrouw die de eicellen af wil staan. Voor een paar duizend dollar of een halve ton kunnen ze een keuze maken.

Op hoge leeftijd zwanger raken met eigen genetisch materiaal is ook al mogelijk, hoewel het op zeer kleine schaal gebeurt. Bij jonge kankerpatiëntes wordt soms eierstokweefsel verwijderd, voor ze aan een chemokuur beginnen. Het wordt in de vriezer bewaard. Als de kanker verdwenen is, wordt het weefsel teruggeplaatst. In België raakte in 2002 een vrouw zo weer op natuurlijke wijze zwanger. Die vrouw was nog jong, maar had medisch gezien net zo goed boven de vijfenveertig kunnen zijn.

Er zijn ook minder ingrijpende methodes denkbaar.

Nu embryo's massaal worden ingevroren en de kans op een succesvolle zwangerschap binnen een decennium omhoog ging van tien tot vijftien naar twintig tot vijfentwintig procent, zou een jonge vrouw van dertig nu vast embryo's kunnen laten maken voor later. Ze moet dan wel een man hebben die zich nu vast wil leggen of ze moet bijvoorbeeld alleenstaand zijn en nu vast een donor vinden voor als ze niet binnen tien jaar een vaste relatie heeft. Dan moet ze nog een vruchtbaarheidsbehandeling ondergaan en de eicellen laten bevruchten met het zaad van de man. De embryo's kunnen jaren later, tot aan haar pensioen, teruggeplaatst worden. Het komt nooit voor en het is de vraag of artsen hieraan mee zouden willen meewerken, maar het kán en het is vrij eenvoudig.

Een vrouw die op haar dertigste nog geen vader heeft gevonden voor haar kinderen, kan natuurlijk ook haar eigen eicellen veilig laten stellen. Ze ondergaat dan een vruchtbaarheidsbehandeling tot en met de punctie. De eicellen die daarbij verkregen worden kan ze in laten vriezen, voor later. Het probleem is alleen dat eicellen invriezen nu nog veel moeilijker is dan embryo's invriezen omdat er veel vocht om de eicel heen zit. Als dat bevriest, beschadigen de ijskristallen het genetisch materiaal. De antivries, cryopreservant, die moet voorkomen dat die kristallen zich vormen, werkt nog niet goed genoeg. Dat is een technisch probleem dat ongetwijfeld binnen enkele jaren is opgelost. Bij het invriezen van embryo's was dit tien jaar geleden ook nog een groot obstakel, maar dat is steeds meer overwonnen. In 2005 kregen ruim vierhonderd vrouwen in Nederland een kind uit de vriezer, vergeleken met negentig in 1996.

Het blijft natuurlijk – zowel bij embryo's als bij eicellen invriezen – een zware behandeling die een gezonde vrouw dan moet ondergaan, met een volledige hormoonkuur en punctie. Maar er is een nieuwe techniek die de hormoonkuur in de toekomst in veel gevallen overbodig maakt. Het heet in vitro maturation. Onrijpe eicellen worden met een punctie uit de eierstok gehaald en in het lab gerijpt. In Denemarken worden daar al goede resultaten mee geboekt. Het maakt een ivf-behandeling lichter én goedkoper.

Als het uitstellen van kinderen krijgen zo'n vlucht blijft nemen als nu en de behandelingen steeds lichter worden, zal dit soort technieken populairder worden, ook al vinden veel mensen het nu waarschijnlijk niet ethisch. In 1969 vond een meerderheid van de Amerikanen nog dat ivf 'tegen Gods wil' was. In 1978 zei een meerderheid het te zullen gebruiken.

Als het genetisch materiaal waarover de vrouw beschikt van goede kwaliteit is, kan een vrouw dus in principe tot haar zestigste zwanger worden. Die overtuiging begint langzaam terrein te winnen.

Ondertussen is er ook op Europees niveau een stevige lobby gaande van de farmaceutische industrie om het vergrijzingsprobleem van Europa op te vangen met meer vruchtbaarheidsbehandelingen. Tijdens het congres van de European Society of Human Reproduction Europe (ESHRE) in Praag, in de zomer van 2006, presenteerde de Amerikaanse denktank RAND Corporation een rapport, gefinancierd door Ferring Pharmaceuticals.

In het rapport, dat gericht was op Europese overheden, werd een interessant sommetje gemaakt. In Denemarken was in 2002 het aantal geboortes dankzij vruchtbaarheidsbehandelingen 4,2 procent – het hoogste van Europa. In het Verenigd Koninkrijk was dat 1,4 procent – het laagste van Europa. Als de Engelse regering zich zou inspannen om een even hoog cijfer te halen als Denemarken, zou het aantal geboortes toenemen met 0,04 procent. Niet zo veel, lijkt het. Maar, schrijft het rapport, het levert een even grote toename van de bevolking op als andere maatregelen die regeringen willen nemen, zoals langer ouderschapsverlof, kinderbijslag en kinderopvang. Als die de moeite waard zijn, dan is het bevorderen van meer vruchtbaarheidsbehandelingen dat toch zeker ook?

Het zijn sterke krachten die de komende jaren tegen elkaar zullen inwerken: de bezorgde beleidsmakers, ethici en medici tegenover de ouder wordende patiënten, de farmaceutische industrie en de stuwende kracht die vooruitgang heet.

Vruchtbaarheidsklinieken in Nederland

Albert Schweitzerziekenhuis, Zwijndrecht
iui tot 42 jaar, max. 6 behandelingen
ivf tot 42 jaar, max. 3 behandelingen
icsi tot 42 jaar

AMC, Amsterdam
iui tot 42 jaar
ivf tot 42 jaar, max. 3 behandelingen, slagingspercentage 15,1%
icsi tot 42 jaar, slagingskans 24,2%
eiceldonatie tot 42 jaar
lesbische stellen: KID tot 40 jaar, max. 12 behandelingen, eiceldonatie tot 42 jaar, max. 3 behandelingen

Amphia Ziekenhuis, Breda
iui
ivf tot 40 jaar, max. 3 behandelingen
icsi tot 40 jaar

Atrium Medisch Centrum, Heerlen
iui

AZM Limburg, Maastricht
iui tot 40 jaar, max. 4 behandelingen

ivf tot 40 jaar, max. 3 behandelingen, slagingspercentage 22,1%
icsi tot 40 jaar, slagingskans 25,2%
eiceldonatie tot 40 jaar

Bethesda Ziekenhuis, Hoogeveen
iui

Catharina Ziekenhuis, Eindhoven
iui tot 42 jaar, max. 6 behandelingen
ivf tot 40 jaar, max. 3 behandelingen, slagingskans 19,4%
icsi tot 40 jaar, max. 3 behandelingen, slagingskans 26,9%

Centrum voor Seksuele Gezondheid, Amsterdam
lesbische stellen: KID
alleenstaanden: KID

Deventer Ziekenhuis, Deventer
iui tot 41 jaar, max. 6 behandelingen
ivf tot 41 jaar, max. 3 behandelingen
icsi tot 41 jaar, max. 3 behandelingen
lesbische stellen: KID tot 41, max. 12 behandelingen
en ivf-donor tot 41, max. 3 behandelingen
alleenstaanden: KID tot 41, max. 12 behandelingen
en ivf-donor tot 41, max. 3 behandelingen

Diaconessen, Meppel
iui
ivf tot 40 jaar
icsi tot 40 jaar

Diakonessenhuis, Utrecht
iui tot 42 jaar
ivf tot 42 jaar
icsi tot 40 jaar
eiceldonatie tot 41 jaar
lesbische stellen: KID tot 40, max. 12 behandelingen
alleenstaanden: KID tot 40, eiceldonatie tot 41

Erasmus Medisch Centrum, Rotterdam
  iui
  ivf tot 40 jaar, slagingskans 19,5%
  icsi tot 40 jaar, slagingskans 23,6%
  eiceldonatie tot 43 jaar

Flevoziekenhuis, Almere
  iui tot 40 jaar
  ivf tot 40 jaar
  icsi tot 40 jaar
  lesbische stellen: KID tot 40, max. 6 behandelingen
  alleenstaanden: KID tot 40, max. 6 behandelingen

Gelre Ziekenhuizen, Apeldoorn
  iui
  ivf tot 40 jaar
  icsi tot 40 jaar

Isala klinieken, Zwolle
  iui
  ivf tot 41 jaar, slagingskans 14,4%
  icsi tot 41 jaar, slagingskans 21,6%
  lesbische stellen: KID

Jeroen Bosch Ziekenhuis, Den Bosch
iui
ivf en icsi via lab van St. Elisabeth Tilburg

Kennemer Gasthuis, Haarlem
iui

Laurentius Ziekenhuis, Roermond
iui tot 45 jaar

LUMC, Leiden
iui
ivf tot 42 jaar, max. 6 behandelingen, slagingskans
20,8%
icsi tot 42 jaar, max. 6 behandelingen, slagingskans
19%
eiceldonatie tot 42 jaar

Maasland Ziekenhuis, Sittard
Iui, max. 6 behandelingen, alleen op indicatie

Martini Ziekenhuis, Groningen
iui tot 45 jaar, max. 6 behandelingen
ivf

Máxima Medisch Centrum, Veldhoven
iui
ivf tot 40 jaar
icsi tot 40 jaar
lesbische stellen: KID
alleenstaanden: KID

Meander Ziekenhuis, Utrecht
iui tot 45 jaar, max. 6 behandelingen
ivf tot 41 jaar
icsi tot 41 jaar

Medisch Centrum Alkmaar, Alkmaar
iui
ivf tot 40 jaar
icsi tot 40 jaar

Medisch Centrum Haaglanden, Den Haag
iui tot 42 jaar
ivf tot 40 jaar
icsi tot 40 jaar

Medisch Centrum Kinderwens, Leiderdorp
iui tot 42 jaar
ivf tot 42 jaar, slagingskans 22%
icsi tot 42 jaar, slagingskans 28,3%
lesbische stellen: KID tot 42 en ivf-donor tot 42
alleenstaanden: KID tot 42 en ivf-donor tot 42

Medisch Centrum Leeuwarden, Leeuwarden
iui
ivf tot 41 jaar
icsi tot 41 jaar
eiceldonatie tot 40 jaar
lesbische stellen: KID tot 42, max. 12 behandelingen
alleenstaanden: KID tot 42, max. 12 behandelingen

Medisch Centrum Rijnmond-Zuid, Rotterdam
iui
ivf tot 45 jaar
icsi tot 45 jaar
eiceldonatie tot 45 jaar
lesbische stellen: KID tot 45, max. 12 behandelingen
alleenstaanden: KID tot 45, max. 12 behandelingen

Medisch Spectrum Twente, locatie Enschede
iui tot 40 jaar
ivf tot 40 jaar
icsi tot 40 jaar

Medisch Spectrum Twente, locatie Oldenzaal
iui
ivf tot 41 jaar

OLVG, Amsterdam
iui
ivf tot 40 jaar
icsi tot 41 jaar
lesbische stellen: KID tot 40, max. 12 behandelingen

Reinier de Graaf Gasthuis, Voorburg
iui
ivf tot 44 jaar, slagingskans 23,9%
icsi tot 44 jaar, slagingskans 30,9%
eiceldonatie tot 40 jaar
alleenstaanden: eiceldonatie tot 40 jaar

Rijnlandziekenhuis, Alphen aan den Rijn
iui
ivf tot 40 jaar
icsi tot 40 jaar

Rivas Medizorg, locatie Beatrixziekenhuis, Gorinchem
iui tot 40 jaar, max. 6 behandelingen

Rode Kruis Ziekenhuis, Beverwijk
iui
ivf

Röpcke-Zweers Ziekenhuis, Hardenberg
iui

Scheper Ziekenhuis, Emmen
iui

St. Antonius Ziekenhuis, Utrecht
iui

St. Lucas Andreas Ziekenhuis, Amsterdam
iui tot 40 jaar, max. 6 behandelingen
ivf tot 40 jaar
icsi tot 40 jaar

Slingelandziekenhuis, Doetinchem
iui

Spaarne Ziekenhuis, Hoofddorp
iui tot 39 jaar, max. 6 behandelingen

St. Anna Ziekenhuis, Geldrop
iui

St. Franciscus Gasthuis, Rotterdam
iui
ivf tot 41 jaar
icsi tot 41 jaar
eiceldonatie tot 41 jaar

St. Jans Gasthuis, Weert
iui tot 45 jaar, max. 6 behandelingen

St. Elisabeth Ziekenhuis, Tilburg
iui tot 43 jaar, max. 6 behandelingen
ivf tot 43 jaar, max. 3 behandelingen, slagingskans
19,7%
icsi tot 43 jaar, max. 3 behandelingen, slagingskans
24,1%
eiceldonatie tot 43 jaar, max. 2 behandelingen

St. Gemini Ziekenhuis, Den Helder
iui
ivf tot 40 jaar
icsi tot 40 jaar

St. Ziekenhuisvoorz. Oost-Achterhoek Het Streekzie-
kenhuis Koningin Beatrix, Winterswijk
iui
ivf
lesbische stellen: KID, max. 6 behandelingen
alleenstaanden: KID, max. 12 behandelingen

Stichting Samenwerkende Ziekenhuizen, Locatie Rode Kruis, Den Haag
iui
ivf tot 42 jaar
icsi tot 42 jaar
eiceldonatie tot 42 jaar
lesbische stellen: KID tot 40, max. 6 behandelingen
alleenstaanden: KID tot 40, max. 6 behandelingen

Stichting Fertiliteitsbevordering, Wirdum
alleenstaanden: KID

St. Jansdal, Harderwijk
lesbische stellen: KID tot 41, max. 9 behandelingen

TweeStedenziekenhuis, locatie Tilburg
iui tot 40 jaar, max. 6 behandelingen

UMC St. Radboud, Nijmegen
iui
ivf tot 41 jaar, slagingskans 19,1%
icsi tot 41 jaar, slagingskans 25,4%

UMC Utrecht, Utrecht
iui tot 40 jaar, max. 9 behandelingen
ivf tot 40 jaar, max. 4 behandelingen, slagingskans 22,5%
icsi tot 40 jaar, slagingskans 28,3%
eiceldonatie tot 40 jaar
lesbische stellen: ivf-donor tot 40, eiceldonatie tot 45

UMCG Groningen, Groningen
iui tot 40 jaar, max. 6 behandelingen
ivf tot 39 jaar, slagingskans 11,9%
icsi tot 39 jaar, slagingskans 16,4%
eiceldonatie tot 39 jaar
lesbische stellen: KID tot 40, max. 12 behandelingen,
eiceldonatie tot 39
alleenstaanden: KID tot 40, max. 12 behandelingen

VieCurie Locatie Venlo
iui
lesbische stellen: KID tot 41, max. 12 behandelingen
alleenstaanden: KID tot 41, max. 12 behandelingen

VieCurie Locatie Venray
iui
lesbische stellen: KID tot 41, max. 12 behandelingen
alleenstaanden: KID tot 41, max. 12 behandelingen

Vrije Universiteit Medisch Centrum, Amsterdam
iui tot 44 jaar, max. 6 behandelingen
ivf tot 44 jaar, max. 6 behandelingen, slagingskans
23%
icsi tot 44 jaar, max. 6 behandelingen, slagingskans
30,3%
eiceldonatie tot 42 jaar, max. 3 behandelingen
lesbische stellen: KID tot 44, max. 9 behandelingen

Waterland Ziekenhuis, Purmerend
iui tot 42 jaar, max. 6 behandelingen

Westfries Gasthuis, Hoorn
iui
ivf tot 40 jaar, max. 3 behandelingen
icsi tot 40 jaar
lesbische stellen: KID tot 40
alleenstaanden: KID tot 40
Zaans Medisch Centrum, Zaandam
iui tot 45 jaar, max. 6 behandelingen

ZBC Geertgen, Gemert
iui tot 42 jaar, max. 12 behandelingen
ivf tot 42 jaar, max. 6 behandelingen
icsi tot 42 jaar, max. 6 behandelingen
eiceldonatie tot 42 jaar, max. 6 behandelingen
lesbische stellen: KID tot 42, max. 24 behandelingen,
eiceldonatie tot 42, max. 6 behandelingen
alleenstaanden: KID tot 42, max. 24 behandelingen,
eiceldonatie tot 42, max. 6 behandelingen

Ziekenhuis Gooi Noord, Blaricum
iui
ivf tot 41 jaar
icsi tot 41 jaar

Ziekenhuis Rijnstate, Arnhem
iui
ivf tot 41 jaar
icsi tot 41 jaar
eiceldonatie tot 45 jaar
lesbische stellen: KID tot 42, max. 12 behandelingen
alleenstaanden: KID tot 42, max. 12 behandelingen

Ziekenhuis Walcheren, Vlissingen
iui
lesbische stellen: KID tot 40, max. 12 behandelingen

Ziekenhuis Zevenaar, Zevenaar
iui tot 40 jaar
Ziekenhuisgroep Twente, Almelo
ivf tot 40 jaar
icsi tot 40 jaar

Deze cijfers zijn afkomstig van de site van patiëntenvereniging Freya (www.freya.nl) en ze zijn aan grote veranderingen onderhevig. Wie het zeker wil weten, moet informeren bij het ziekenhuis zelf.

Voor eiceldonatie of ivf-behandelingen in het buitenland zie www.freya.nl.

De slagingskansen van de klinieken zijn in grote mate afhankelijk van de acceptatievoorwaarden (leeftijd, bmi, al dan niet behandelen bij vage klachten etc.). Die cijfers komen van de NVOG en zijn over 2005. Eind 2007 worden de cijfers over 2006 bekend. www.nvog.nl.

Verklarende woordenlijst

Cryo's
Bevruchte eicellen (embryo's) die zijn ingevroren in stikstof. Het zijn embryo's die in het lab over waren na een ivf- of icsi poging. Als die poging mislukt is, kunnen ze ontdooid worden en bij een volgende cyclus worden teruggeplaatst. Soms in de natuurlijke cyclus, soms in een door hormonen beïnvloede cyclus. Als de vrouw zwanger is, worden de cryo's bewaard voor als ze nog een kind wil. Ze blijven jaren goed. Invriezen is heel moeilijk omdat ijskristallen een embryo kunnen beschadigen. De techniek wordt steeds beter, de kansen op een zwangerschap variëren van tien tot dertig procent.

Cyclus
De periode van de eerste dag van de menstruatie tot de volgende eerste dag van de menstruatie. Deze periode varieert per vrouw tussen de eenentwintig en vijfendertig dagen. Hoogtepunt voor wie zwanger wil raken is de periode voor de eisprong. Die vindt plaats veertien dagen voor de eerste dag van de menstruatie. Daar is dus alleen achter te komen door een paar maanden de eerste dag van de menstruatie bij te houden en dan twee weken terug te rekenen. De dagen dáárvoor zijn de vruchtbare dagen. Als de eisprong is geweest, ben je te laat.

Eiblaasje
Zie follikel

Eicel
De eicel is het genetisch materiaal van de vrouw, dat ligt in het eicelblaasje of follikel. De zaadcel moet de eicel bevruchten. Zie follikel.

Eiceldonatie
Een vrouw die eicellen afstaat voor een andere vrouw, die niet zwanger kan raken. In Nederland gaat het meestal om een familielid. In het buitenland (VS, Spanje, België) is commerciële eiceldonatie in opkomst, met name voor oudere vrouwen die een kind willen maar geen eivoorraad meer hebben. De donoren zijn idealiter jonge vrouwen.

Eicelvoorraad
Een vrouw wordt geboren met een miljoen eicellen. Als ze in de puberteit is, heeft ze er nog zo'n driehonderdduizend. Als ze tussen de vijfenveertig en vijfenvijftig jaar is, zijn ze op en komt de vrouw in de overgang.

Eisprong
Het eiblaasje knapt open, waardoor de vloeistof met eicel wordt opgevangen door de eileider.

Embryo
Het begin van leven. De bevruchting van een eicel door de zaadcel is de samensmelting van het genetisch materiaal van de man en de vrouw. Daarna vinden de eerste celdelingen plaats.

Embryoterugplaatsing
Handeling waarbij de bevruchte eicel (embryo) wordt teruggeplaatst in de baarmoeder. Gebeurt met een slangetje.

Embryodonatie
Het doneren van ingevroren embryo's aan kinderloze paren.

Follikel of eiblaasje
Eiblaasje gevuld met vloeistof waarin de eicel zich ontwikkelt. Vlak voor de eisprong is de follikel zo groot als een druif, de eicel microscopisch klein. Bij een gestimuleerde ivf- of icsi-cyclus worden de follikels voor de eisprong met een punctie leeggezogen om de eicellen te winnen.

Fsh
Follikel stimulerend hormoon: redt een of meer van de honderden eiblaasjes die de vrouw per maand verliest. Bij vruchtbaarheidsbehandelingen (iui, ivf, icsi) wordt extra fsh gegeven zodat er niet een maar meerdere eiblaasjes van de ondergang gered worden.

Hcg
Is het zwangerschapshormoon. Zorgt voor de laatste rijpingsfase van de eicellen. Bij iui, ivf en icsi wordt dit hormoon kunstmatig ingebracht. Dat is het signaal voor de eisprong, die veertig uur later plaatsvindt.

Icsi
Intra cytoplasmatische sperma injectie. Icsi volgt de hele

ivf-procedure, alleen helemaal aan het eind wordt het proces nog iets meer geholpen. Een enkele zaadcel wordt dan met een naald direct in de eicel geïnjecteerd. Wordt gebruikt bij slecht zwemmend zaad.

Iui

Intra uteriene inseminatie. De zachtste vruchtbaarheidsbehandeling. Aan alle kanten krijgt de natuur hierbij een duwtje. De vrouw krijgt hormonen om de rijping van de eicellen te stimuleren en om het optimale tijdstip te bepalen voor de kunstmatige inseminatie. Het zaad wordt opgewerkt in het lab, om de beste zwemmers eruit te halen. Met een dun slangetje wordt het zaad via de baarmoedermond hoog in de baarmoeder gebracht. Wordt gebruikt bij verminderde vruchtbaarheid zonder duidelijke oorzaak, bij onvoldoende doorgankelijkheid van het baarmoedermondslijm voor zaadjes of bij een minder goede beweeglijkheid van zaadjes.

Ivf

In vitro fertilisatie. Vruchtbaarheidsbehandeling waarbij de eicel en de zaadcel buiten het lichaam met elkaar in contact gebracht worden, waardoor de bevruchting plaats kan vinden. Vrouw krijgt hormoonbehandeling om meerdere eiblaasjes te laten rijpen. Met een echo wordt vanaf een paar dagen voor de eisprong gekeken hoe de eicellen zich ontwikkelen. Als er genoeg rijpe eiblaasjes zijn, worden ze met behulp van een naald leeggezogen. Dat is de punctie. Buiten het lichaam worden die eicellen in een petrischaaltje bij de zaadcellen gelegd. Binnen twee dagen zijn de eicellen bevrucht en kunnen ze worden teruggeplaatst in het lichaam van de vrouw.

Kid
Kunstmatige inseminatie met donorsemen. Meestal gaat het om lesbische of alleenstaande vrouwen die een kind willen van een donor. Het ziekenhuis kan het zaad vlak voor de eisprong inbrengen, maar het gebeurt ook vaak thuis. Soms gaat het om een stel waarvan het zaad van de man niet goed genoeg is en er dus een donor aan te pas moet komen. Komt nog maar weinig voor sinds het bestaan van icsi, meestal heeft een stel dan al drie icsi-pogingen achter de rug.

Lucrin
Hormoon dat de vrouw bij een ivf- of icsi-behandeling inspuit. Het legt het signaal van de rijping van eiblaasjes en dat van de eisprong stil.

Natriumcarbonaatspoeling
Vaginale spoeling die het aantal vruchtbare dagen wat kan verhogen. Op vruchtbare dagen te gebruiken.

Overstimulatie of hyperstimulatie
Ovarieel hyperstimulatie symdroom (ohss): een aandoening waarbij er vochtlekkage is van de eierstokken in de buikholte, met buikpijn, misselijkheid, braken als gevolg. Als dat niet goed behandeld wordt, kan het gevaarlijk zijn. Dat probeert de arts te voorkomen door voorzichtige hoeveelheden hormonen (fsh) voor te schrijven.

Ovulatie
Zie eisprong.

Ovulatie-inductie
Een eisprong opwekken met hormonen. Gebeurt veel bij pco-patiënten, die van zichzelf geen of weinig eisprongen per jaar hebben.

Pco
Poli cysteus ovariumsyndroom. Een verzamelnaam voor vrouwen die geen of te weinig eisprongen hebben. Wordt verholpen met hormonen.

Pgd
Preïmplantie genetische diagnose. Hiermee kunnen embryo's (bevruchte eicellen) getest worden op de aanwezigheid van bepaalde genetische – erfelijke – afwijkingen. Kan ook worden ingezet om embryo's te selecteren en alleen de beste terug te plaatsen om zo de kansen op een zwangerschap te verhogen. Bestaan ethische bezwaren tegen.

Progestan
Het hormoon progesteron in pilvorm. Tabletten worden vaginaal ingebracht, gedurende twee weken na de terugplaatsing van een embryo. Zorgt ervoor dat het baarmoederslijmvlies in optimale conditie is voor de innesteling.

Punctie
Poliklinische ingreep waarbij met een naald de eiblaasjes worden leeggezogen. In de vloeistof liggen de eicellen, die gezocht worden met een microscoop. Naald gaat door de vaginawand de eierstokken in. Lichte verdoving. Gebeurt vlak voor de eisprong.

Literatuur

Barlow, David (e.a.), 'Fertility: Assessment and Treatment for People with Fertility Problems', National Institute for Clinical Excellence (2004). NICE Clinical Guideline no. 11.

Bots, dr. Rob en drs. Piet Kaashoek, *Intens verlangen naar een kind. IVF: ervaringen met reageerbuisbevruchting*, 1994.

Braat, mw. prof. dr. D.D.M. (e.a.), 'Uitstel van ouderschap: medisch of maatschappelijk probleem?', Raad voor de Volksgezondheid & Zorg, 2007.

Brinkgreve, Christien en Egbert Te Velde, *Wie wil er nog moeder worden?*, Amsterdam 2006.

Graaf, Arie de en Suzanne Loozen, 'Aantal oudere moeders neemt toe', in: CBS *Webmagazine*, 21 augustus 2006.

Grant, Jonathan, Stijn Hoorens, Federico Gallo en Jonathan Cave, 'Should ART Be Part of a Population Policy Mix? A Preliminary Assessment of the Demographic and Economic Impact of Assisted Reproductive Technologies', gepresenteerd tijdens het ESHRE-congres Praag, 21 Juni 2006.

Kortman, M., G.M.W.R. de Wert, B.C.J.M. Fauser en N.S. Macklon, 'Zwangerschap op oudere leeftijd door middel van eiceldonatie', in: *Nederlands Tijschrift voor Geneeskunde*, 150, 2006, no. 47, p. 2591-2595.

Nyboe Andersen, A., L. Gianaroli, R. Felberbaum, J. de Mouzon en K.G. Nygren, *Assisted Reproductive Technology in Europe, 2002*. Update gepresenteerd tijdens het ESHRE-congres Praag, 21 Juni 2006.

Noord-Zaadstra, B.M. van (e.a.), 'Delaying Childbearing: Effect of Age on the Outcome of Pregnancy', in: *British Medical Journal*, 1991, no. 302, p. 1361-1365.

'Reproduction Revolution: Methuselah Moms', in: *NewScientist*, 21 oktober 2006.

Woltz, W., 'Artsen buisbaby overspoeld door telefoontjes', in: NRC *Handelsblad* 28 juli 1978.

WEBSITES

www.fertiliteit.info: de site van Rob Bots. Hier komt de meeste medische informatie uit dit boek vandaan.
www.nvog.nl en www.cbs.nl: hier komen de meeste cijfers uit dit boek vandaan.

Dankwoord

Allereerst ben ik Rob Bots zeer dankbaar. Hij heeft echt zijn nek uitgestoken door mij toe te laten in zijn spreekkamer. Ook heeft hij alle teksten van dit boek fanatiek doorgenomen en gecontroleerd op medische fouten. Daarnaast wil ik mijn drie stellen bedanken dat ze zo open geweest zijn en mij nooit ergens de toegang hebben ontzegd. De namen van Steven en Mirjam zijn gefingeerd.

Vlak voor het ter perse gaan van dit boek kwam het vrolijke bericht dat Jolanda Godrie zwanger is van haar tweede icsi-poging.

Hoofdredacteur Emile Fallaux van *Vrij Nederland* wil ik bedanken voor zijn vertrouwen. Bioloog Jan Vermeiden (voormalig hoofd van de ivf-kliniek van de Vrije Universiteit Amsterdam) was zo aardig om het boek te lezen op medische onjuistheden. Goede vriend Hessel Haak las ook mee en leverde zo een belangrijke bijdrage aan de structuur van het verhaal. Mijn lief Thomas wil ik heel erg bedanken voor al die uren dat hij ging wandelen met ons zoontje Felix, zodat ik achter de laptop kon zitten. Mijn moeder Berthe en oppas Dini hebben me ook veel uit handen genomen. Zonder hen had ik dit boek nooit grotendeels tijdens mijn zwangerschapsverlof kunnen schrijven.

Register

adoptie of adopteren 33, 46,
  121, 139, 143, 144
alcohol of drinken 12, 28, 79,
  101, 106, 109, 110
baarmoeder 13, 17, 18, 20, 22,
  24, 29, 50, 58, 66, 78, 82,
  90, 05, 98, 104, 105, 125,
  155, 163, 164, 197, 198
baarmoederholte 121, 163
baarmoedermond 13, 17, 20,
  125, 164, 198
baarmoedermondslijm 18, 24,
  36, 62, 63, 85, 104, 106, 198
balzak 14, 24, 26, 30, 61, 102
betalingsregeling 47
bevruchting of bevruchten 20,
  21 22, 23, 32, 57, 58, 66, 89,
  115, 117, 118, 119, 120,
  123, 124, 125, 145, 147,
  157, 158, 160, 162, 179,
  195, 196, 1897, 198, 200
biologische klok 26
buikholte 21, 25, 199
celdeling of celdelen 19, 22, 23,
  52, 58, 118, 121, 122, 123,
  133, 162, 172, 196
M.C. Chang 57
chemokuur 70, 178
chromosomen 23, 122

clippen 104, 105
clomid challenge-test 84
cumulus 120, 157
cryo's of embryo's invriezen of
  cryopreservatie 5, 55, 92, 97,
  98, 99, 120, 126, 127, 131,
  132, 134, 135, 145, 146,
  159, 166, 168, 178, 179, 195
cyclus 11, 18, 28, 29, 32, 43,
  49, 52, 62, 71, 78, 89, 98,
  110, 126, 143, 146, 147,
  152, 160, 167, 195, 197
cyste 36, 52, 82, 83, 199
donor of donorprocedure of donorzaad 20, 44, 45, 137,
  138, 139, 141, 143, 144,
  179, 184, 187, 191, 196
doorgaande zwangerschap 20,
  22, 23
doorspoelen eileiders 80, 109
Down, syndroom van 142, 172
drieling 32, 117, 124
echo 13, 20, 27, 31, 43, 54, 57,
  66, 79, 83, 84, 87, 88, 89,
  90, 98, 105, 117, 126, 128,
  150, 151, 152, 153, 164,
  165, 170, 171, 172, 198
Robert Edwards 58
eiblaasje of follikel 18, 19, 20,

42, 49, 50, 54, 64, 65, 79,
84, 87, 89, 90, 97, 118, 126,
145, 150, 151, 154, 196,
197, 198, 199
eicel 14, 16, 17, 18, 19, 20, 21,
22, 24, 26, 29, 32, 43, 44,
50, 52, 57, 58, 60, 64, 75,
76, 77, 81, 89, 92, 95, 97,
98, 103, 109, 115, 116, 117,
118, 119, 120, 121, 122,
123, 124, 125, 130, 137,
138, 139, 140, 141, 142,
143, 144, 145, 150, 154,
156, 157, 158, 159, 162,
167, 169, 177, 178, 179,
180, 195, 196, 197, 198,
200, 202
eiceldonatie 60, 81, 141, 142,
143, 177, 178, 180, 194,
196, 202
eicellen invriezen 179, 195
eicelvoorraad of eivoorraad of
eierstokreserve 12, 14,
17, 24, 29, 75, 76, 79, 84,
101, 107, 140, 149, 196
eierstok of ovarium 13, 14, 17,
20, 24, 25, 36, 49, 58, 65,
66, 88, 107, 123, 150, 151,
178, 180, 199, 200
eierstokkanker 25
eierstokweefsel invriezen 178
eileider 16, 17, 18, 19, 20, 24,
29, 40, 44, 58, 59, 80, 83,
104, 105, 109, 110, 196
eisprong of ovulatie 17, 18, 19,
20, 24, 25, 32, 33, 34, 49,
50, 51, 54, 55, 62, 63, 64,
65, 79, 84, 90, 117, 121,

126, 195, 196, 197, 198,
199, 200
eisprongsignaal 121
Elisabeth Edwards 177
Embryo 21, 22, 23, 25, 42, 50,
52, 54, 55, 58, 83, 92, 93,
96, 97, 98, 104, 115, 116,
117, 118, 120, 121, 122,
124, 125, 126, 127, 131,
132, 133, 134, 136, 137,
140, 141, 142, 143, 144,
145, 146, 153, 155, 156,
160, 162, 163, 164, 165,
166, 167, 168, 169, 171,
178, 179, 195, 197, 200
embryodonatie of –adoptie
137, 140, 141, 142, 143, 197
Embryowet 141
escape-ivf 42, 64
evaluatiegesprek 46, 97, 126,
145, 146
FertiBase 62
fertiliteitsarts 20, 42, 49, 60,
63, 64, 71, 77, 116, 137,
142, 146
follikel (zie eiblaasje)
follikelvoeistof 153
fragmentatie 131
fsh 25, 49, 50, 117, 150, 197,
199
gemeenschap 63, 74
genetisch materiaal 14, 17, 18,
19, 21, 23, 75, 76, 80, 121,
142, 158, 179, 180, 196
Gezondheidsraad 141, 159
Gonal F 49, 53, 89, 97, 145,
150
gynaecoloog of gynaecologie 8,

11, 16, 26, 44, 57, 58, 77,
87, 101, 102, 141
hcg 50, 121, 150, 197
hechtingsproblemen 138, 144
holding 158
hormonen 19, 20, 25, 33, 50,
53, 55, 65, 66, 71, 72, 82,
83, 95, 96, 98, 103, 117,
126, 127, 146, 195, 198, 199
hormoonbehandeling of hormoonkuur 49, 77, 143, 180,
198
hormoonstoornis 24
Human Reproduction 63, 81
Hyaluronidase 157
icsi 7, 21, 22, 24, 25, 32, 43,
44, 45, 46, 60, 92, 95, 96,
99, 101, 102, 103, 104, 116,
118, 120, 135, 150, 155,
156, 157, 158, 159, 160,
161, 195, 197, 199
incubator of stoof 21, 22, 115,
116, 120, 121, 122, 123,
125, 131, 154, 156, 158, 162
innesteling of innestelen 19, 22,
24, 50, 52, 83, 96, 104, 127,
152, 155, 164, 166, 200
intake 23, 27, 42, 44, 49, 50,
51, 68, 87
intensive care 160
iui 7, 19, 20, 24, 25, 27, 28, 30,
31, 32, 33, 34, 42, 43, 52,
53, 64, 72, 82, 83, 89, 90,
91, 105, 106, 107, 121, 145,
197, 198
in vitro maturation 180
ivf 7, 14, 15, 16, 19, 20, 21, 22,
24, 25, 26, 28, 30, 31, 33,

34, 41, 43, 44, 47, 49, 50, 51,
53, 57, 58, 59, 60, 64, 65,
66, 68, 69, 70, 71, 72, 77,
80, 82, 84, 85, 87, 88, 89,
90, 91 101, 103, 106, 107,
108, 109, 113, 115, 116,
117, 118, 119, 120, 122,
132, 133, 135, 137, 138,
139, 140, 143, 145, 146,
150, 159, 160, 163, 169,
180,, 194, 195, 197, 198,
199, 201, 203
ivf-analist of laboratoriumanalist 20, 22, 49, 115, 116, 120,
152, 153, 154, 155, 156
kijkoperatie 15, 26, 36, 40, 52,
109
klinisch embryoloog 115, 118
klompje cellen 23
kunstmatige inseminatie 19,
21, 197, 198
kweekmedium 60, 115, 134,
162
laag geboortegewicht 160
langetermijnonderzoek of -ef-
fecten 159, 160
laparoscopie 58
leeftijd 11, 14, 20, 26, 33, 48,
76, 79, 80, 81, 83, 84, 85,
100, 118, 119, 123, 124,
139, 140, 141, 142, 160,
161, 177, 178, 180, 194
lesbische stellen 44, 45
Lipiodol 109
Louise Brown 58, 60, 159, 160
Lucrin 49, 53, 152, 199
maatschappelijk werker 137,
138, 140, 201

maximum leeftijd 81, 139, 140, 141

meerling 25, 42, 64, 66

menopauze of overgang 12, 64, 75, 76, 196

mesa pesa 102

mesa/tese 60, 159

miskraam 22, 23, 28, 29, 32, 33, 43, 119, 122, 142, 143

natriumcarbonaatspoeling of spoeling 40, 85, 109, 110, 199

natuurlijke cyclus of spontane cyclus 49, 58, 93, 126, 160, 195

natuurlijke selectie 23, 132

Nederlands Tijdschrift voor Geneeskunde 141, 180

nekplooimeting 172

oestrogeen 32

(los) ondergoed 26, 28, 51, 60, 61

ongesteldheid of menstruatie 16, 22, 24, 27, 33, 51, 75, 83, 93, 97, 111, 112, 127, 147, 166, 167, 195

ontwikkelingsstroornis 124

ouder wordende eierstok 84, 181 (zie ook veertigplus)

overgewicht 32 (zie ook pco)

overstimulatie of hyperstimulatie 25, 50, 117, 199

ovulatie (Zie eisprong)

ovulatie-inductie 24, 65, 199

paracetamol 155

pco 16, 24, 32, 40, 51, 65, 199

pgd 122, 199

de pil 11, 18, 28, 36, 49, 51, 52, 78, 94, 106, 107, 129

placenta 23, 160

Planningsbesluit IVF 141, 180

poli-ovulatie 117

poollichaam 157, 158

Pregnyl 50, 121, 150

prikpen 50, 53, 68

Primolut 147

Progestan 50, 96, 152, 155, 165, 200

psycholoog of psychiater 137, 138, 139

punctie 6, 20, 21, 42, 43, 50, 54, 55, 65, 87, 89, 96, 97, 98, 103, 115, 116, 117, 119, 120, 124, 127, 128, 130, 145, 147, 149, 150, 151, 152, 156, 162, 164, 169, 179, 180, 197, 198, 200

risico's 25, 120, 124, 133, 142, 159, 160, 161, 162

schil 21, 23

second opinion 27, 78, 158

selectie van embryo's 77, 122

semenanalist 115

sigaretten of roken 12, 68, 76, 78, 79, 85

Sims-Hühnertest of samenlevingstest of postcoïtumtest 62, 65, 106, 108

sonde 66, 153, 154, 163, 165

spatader (in de balzak) 26, 33, 34, 61, 102

sperma 14, 30, 31, 33, 42, 57, 60, 61, 64, 79, 101, 117, 120, 122, 123, 159, 161, 197

spontane zwangerschap 28, 33, 34, 80, 82, 107, 138

spuiten 20, 49, 53, 55, 68, 87,

91, 91, 121, 129, 147, 158,
152, 199
Patrick Steptoe 58
Stichting Donorgegevens 144
subfertiliteit 61, 106, 123
terugplaatsing 22, 42, 52, 93,
96, 98, 104, 124, 125, 127,
128, 132, 153, 155, 159,
160, 162, 163, 164, 169,
171, 197, 200
transportfunctie 16, 80
triploïd 123
tweeling 25, 98, 124, 139, 151,
160, 162
uitstel van moederschap 36,
143
uroloog 33, 61, 101, 103
vaginawand 20, 151, 200
variocèle 61
veertig of veertigplus 7, 9, 14,
22, 43, 50, 73, 74, 75, 76,
77, 78, 79, 80, 81, 82, 83,
84, 85, 108, 112, 117, 121,
139, 140, 141, 142, 146,
177, 178, 180, 196, 197
verdoving 117, 130, 152, 153
verminderde vruchtbaarheid 8,
16, 77, 83, 84, 85, 106, 160,
198
vernietigen van embryo's 96,
139, 140
verouderde eierstokken of ver-
ouderde eicellen 16, 85

verstopte eileiders 16, 24, 44,
58, 59
verzekering 47, 52, 77, 119,
145, 151
vijfling 66, 67
vleesbomen 13, 79, 82
vrijen 16, 24, 28, 30, 31, 41,
63, 67, 106
vroeggeboorte 124, 160
vruchtbaarheidsproblemen 25,
101
vruchtbaaheidstechnieken 16
vruchtbaarheidsvenster 24, 84,
85, 108
vruchtbare dagen of periode
33, 40, 61, 63, 85, 107, 109,
110, 195, 199
wachtlijst 28
wegprikken 33
zaadcel 17, 18, 19, 21, 29, 61,
62, 102, 115, 116, 121, 148,
157, 196, 198
zaadvloeistof 19, 121
zuurgraad 17, 40, 85
zwangerschap 20, 22, 23, 28,
59, 65, 71, 75, 79, 80, 83,
90, 122, 127, 131, 132, 133,
135, 144, 160, 177, 180,
195, 200
zwangerschapstest 45, 169
zwangerschapsvergiftiging
142, 160